JN034510

国際政治経済論

渡辺昭夫・緒田原涓一 編

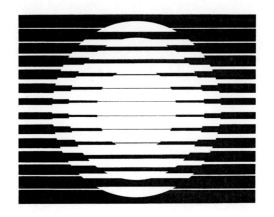

有斐閣 **S** シリーズ

Yuhikaku

は し が き

　1988 年は，INF（中距離核戦力）全廃の米ソ条約の締結および，ウォール街の株価暴落という 2 つの大きなできごとが引き起こした余波のなかで明けた。

　1 つは世界政治の中心ワシントンで，他は国際金融の中心ニューヨークで生じた。核兵器は現代におけるパワーの象徴であり，株式市場はマネーの動きの集中的表現である。上の 2 つのできごとには，確かに直接の因果関係はみられない。しかし，それがともに，今日の国際社会が直面する変化——おそらく構造的変化といってよいもの——を表現している点では共通する。すなわち，米ソという二大超大国の核兵器を象徴とする巨額な軍事支出が，両国の経済に深刻な難問を投げかけたのである。アメリカでは，財政，貿易，家計の赤字，そしてドル価値の下落となり，ソ連では国民の生活水準の低下という現実となって，ゴルバチョフの新しい時代を必要とするようになった。

　政治と経済が社会的現実の本質的なものであることには異論はないであろう。ギリシアであれ中国であれ，その他のいかなる地であれ，公共の問題に関心のある思想家で，この 2 つに触れずに済ませるひとはいなかった。近代に入って 18 世紀の西ヨーロッパに誕生した政治経済学は，その名のとおり，政治と経済との関連を中心的なテーマとする学問であった。その基底にあったのは，人間（とくに支配者）をつき動かす権力欲を馴化し，比較的無害

なものとするために，人間のもうひとつの欲望である金銭欲に訴えるという方法が存在するという問題意識である。「政治」とは人間の愚かさまたは非合理性の領域であり，「経済」という合理性によって排除できないまでも封じ込めることができるとするのが，アダム・スミス以来の経済学の正統的な考え方であった。しかしながら，政治についてのこのような消極的・否定的な観念のもとに，「経済学」がその独立を誇らしげに宣言するようになると，当初その創始者たちの思想のなかにあった政治と経済との緊張関係に対する生き生きとした感覚は次第に薄れてしまった。

20 世紀に生きる現代人にとっては，18 世紀，19 世紀のヨーロッパ思想を特徴づけていた人間の合理性，リベラリズム，経済学の優位への楽観的な信念——この 3 者は相互に関連している——はもはやそのままでは存在しない。しかし，依然として過去の思想の影響から脱却しきれないでいることもまた事実のようである。今日，政治と経済の相互作用を無視もしくは軽視してよいと，堂々と主張できるひとは少ない。しかし，経済学と政治学の領域を互いに越えることは，国境を越えることと同様に，否，ことによるとそれ以上に困難でさえある。

今日，政治と経済の相互関係に正面から取り組む必要をことさらに感じさせるのが国際関係である。そのことは何よりも，経済活動が国境を越えてひろがるという現実があるにもかかわらず，政治的決定の過程や制度は国家を異にするごとに相違するという構造的なずれに起因する。経済摩擦や貿易戦争がほとんど毎日話題にのぼるという昨今の現実が，その端的な現れである。そして，

このような経済摩擦——すなわち経済事象に関連した政治的紛争——がとりわけ経済発展が最も進んだ先進国間で多発しているのは，皮肉である。そして，市場経済圏で政治がよかれあしかれ再発見されつつある一方，計画経済圏で「現代化」や「ペレストロイカ」の名のもとに市場経済への期待が高まりつつあるのもまた，皮肉と言わねばなるまい。そして，経済の拡大によって政治秩序に改善をもたらすことができるという18, 9世紀の思想家のヴィジョンが日々テストされる——あるいは日々幻滅を生みつつあるとひとは言うかもしれないが——のが，第三世界である。

そのような現実を反映して，国際政治経済 (international political economy) と総称されるものが近年の国際関係論の中の「成長産業」となってきている。それは，国際関係論の正統派ともいうべき安全保障論や戦略論をも凌駕せんとしている。ことにわが国では，経済安全保障や総合安全保障という概念が示すように，安全保障論と政治経済論とは不可分のものと考える傾向が強い。また国際経済論においても，選挙の問題など国内政治の要因に触れる論文も多くなった。しかし，あるひとが指摘しているように，国際関係論も国際経済論も，その学問の発達の歴史は，理論の時系列的な進歩のみを強調するよりも，その時々の必要に応じてあれこれの部分が「成長」するひとつの型として捉えるほうがより適切であろう。時代の要請が変われば，また別の部分が成長するのかもしれない。いずれにせよ，われわれが心がけるべきは，政治と経済の関連についての議論が時代の必要に応じて新たな成長期にあることを利用して，研究と議論の水準を少しでも向上させ

ることであろう。

　本書は，以上のような問題意識に基づいて，国際関係における政治と経済の関連について考えようとする学生を主たる対象として，基礎的な理論と現実問題を分かりやすく解説しようとしたものである。理論的な体系を重んじるよりも，具体的な現実問題との密着を優先させた。本書を国際政治経済学とせず，国際政治経済論と題する所以でもある。

　10人の執筆者の間では，政治と経済の関連を念頭において議論を進めるという最低限の共通理解を超えて，お互いの議論の間の整合性をあえてはかろうとはしなかった。ひとつの理論的方法に従って体系的に議論を展開するというよりは，各自のテーマについて自由に論じるという方法を選んだ。その結果，オムニバス的な形式のものとなった。各章の配列もさして論理的必然性があるわけではないので，読者は好みと必要に応じて，どこから読んでいただいても結構である。

　また，国際政治経済について新しい理論的展開を試みたわけでもなく，新鮮な思想的考察をつけ加えたと自負するつもりもない。政治学と経済学の間の境界を越え，そして国と国との間の境界を越えるという知的努力に，いささかでも貢献できれば幸いである。

　　1988年1月

　　　　　　　　　　　　　　　渡辺昭夫・緒田原涓一

執筆者紹介 （執筆順） ‖‖‖‖‖‖‖‖‖‖‖‖‖‖‖‖‖‖‖‖‖‖‖‖‖‖‖‖‖‖‖‖

渡辺　昭夫（わたなべ　あきお）　東京大学教養学部教授

阪中　友久（さかなか　ともひさ）　青山学院大学国際政治経済学部教授

緒田原涓一（おだわらけんいち）　上智大学経済学部教授

鬼塚　雄丞（おにづか　ゆうすけ）　東京大学教養学部教授

浜田　寿一（はまだ　としかず）　上智大学経済学部教授

猪口　邦子（いのぐち　くにこ）　上智大学法学部教授

舛添　要一（ますぞえ　よういち）　国際政治評論家

小川　和男（おがわ　かずお）　新潟大学経済学部教授

中兼和津次（なかがねかづじ）　東京大学経済学部教授

山影　進（やまかげ　すすむ）　東京大学教養学部教授

目　　次

1 マネーとパワー

1 何が問われているのか

政治と経済の相互作用

　たとえばある日の『日本経済新聞』を手にとって見たとしよう。一面には，ますます高進する円高とか，半導体をめぐる日米摩擦とかに関するニュースが大きなスペースを占めている。二面以下は，編集者が記事をページ毎に分類していて，二面は「政治・経済」，三面，五面が「経済」（四面は「全面広告」），六，七面が「国際」，などとなっている。しかし，「経済」の面を見ても，日米経済摩擦をめぐる記事がいくつも並んでいるし，「国際」の面には諸外国の経済政策や経済事情の記事があふれている。

　このように，世の中に起こっている現象をわれわれは，一応，政治とか経済とか国際とかの使い慣れた呼び名に従って仕分けをしてみはするが，実際はそうきれいには分類し切れない。政治と経済の領域が不明確だし，国際と国内の区別もしばしばあいまい

になる。この後者の区別のあいまい化——国際的現象と国内的現象との混合——の大きな原因の1つが，後にも見るように，実は前者の区別の不明確化——政治と経済の相互作用の増大——なのである。

上に指摘した観察が正しいとすれば，「政治と経済の相互作用」が今日の社会現象を分析する際の中心的なテーマの1つであると言ってもよい。この相互作用を観察し，分析する方法を提示することが，本書の目的である。

ところで，政治と経済の相互作用という現象は，国境をまたがる社会・経済活動が量的にも増大し質的にも多様化していくことを主たる動因として，伝統的な国家間の関係のあり方を変えていきつつある。したがって，この現象を正しく観察するためには，「国際的」な視野がどうしても必要になる。たとえば，特定の一国——本書で取りあげた例でいえば中国——の社会を観察・分析する場合でも，国際的なコンテクストの中でそれをとらえなければならないのである。『国際政治経済論』と題する本書に，一見国内的問題と思われるようなものにかなりのスペースが割かれているのは，上のような理由からである。

相互依存の中の国際社会

伝統的な国家間の関係のあり方が今日変わりつつあると，上に述べたが，それはどういう意味であるのか。またそのことは，本書のテーマである政治と経済の相互作用という現象とはどういう関連があるのか。

伝統的なイメージのもとでの国家（国民社会）間の関係は，固く国境で閉ざされた国民社会が相互に対峙する姿としてとらえられる。普通，それは，ビリヤード・ボール・モデルといわれる。のちに使う比喩との関連でいえば，それぞれが固い殻で包まれた大小さまざまな卵が並存しているというイメージを思い浮かべればよいかもしれない。それぞれの卵の中には中心となる黄身（国家権力＝政府）があり，白身の部分（社会）を統轄している。殻（国境）を通過する諸活動（人間や財や情報の移動）が全くないわけではないにせよ——その点で，この比喩はもちろん完全には成り立たないのだが——その量は限られているし，内部の秩序が著しく乱されることがない程度の水準に抑制されている。その結果，社会的な相互作用，たとえば商取引とか通信とか社交とか通婚とかの量は，国境の内と外とでは格段の開きがある。

　上のようなイメージでとらえることができる国際関係（いわばハード・ボイルド・モデル）が，今日大きく崩れてきていることは，多くの人々が日常的に実感しているはずである。言いかえれば，それは，社会的な相互作用が従来のように国境の存在によってあまり制約されることなく行われるようになり，昔にくらべれば，国境という敷居の高さをひとが感じなくなっているのである。

　このような状況を一般に，国際関係における「相互依存」の深化と呼んでいる。国際関係のこうした新しい姿を，昔ふうの「ハード・ボイルド・モデル」と対比して，オムレツという比喩を使って表した人がいる。国境という殻が取り除かれて，それぞれの卵の中身が入りまじって相互に見分けがつかなくなり，1個の巨

大なオムレツのようになってしまったというわけである。

　しかしながら，この比喩は国際社会の現状を表すにはあまり適切でない。むしろ，フライド・エッグ状況といったほうがよかろう。つまり，大小いくつもの卵がそれぞれの黄身の部分を残しながら白身の部分ではつながっていて相互の境界が定かではないという状態を思い浮かべればよい（卵が２つであれば目玉焼といえる）。というのは，確かに国境を越えて行われる社会的相互作用（経済活動がその典型である）は質量ともに拡大しているが，政治的決定の仕組みはいぜんとして多元的に分散しているからである。上の比喩に即していえば，世界市場は切れ目なしにつながった白身の部分で表され，並存する国家権力はあちこちに点在する黄身で表される。

　本章のテーマであるマネーとパワーとの関係とはまさに，世界市場（経済システム）における単一性と政治権力（国家システム）における多元性との相克に起因するさまざまな諸問題を指しているのである。

３つのサークル

　現代の国際社会をとらえるために「フライド・エッグ・モデル」を提唱したが，あらゆるモデルと同様，それを現実に適用するには，いくつもの留保や修正が必要になる。ここではさしあたり，諸国家間の関係を，少なくとも３つのサークルに分けて考えてみるべきことを指摘しておこう。

　第１のサークルは，米ソ（東西）関係に集約されるような諸関

係の集合である。ここには，古典的なパワー・ポリティクスの論理が最も鮮明に残存している。相互不信が国家間の関係の基本原理であり，価値や利害の対立の解決において相手より優越した立場に立つためには，パワーの行使に頼るしかない。その結果，ついにはパワーの獲得それ自体が目的であるかの如き観を呈するに至る。

このような関係のもとでは，前に述べたような意味でのパワーとマネーの相克は生じない。本来，パワーは不可分な全体であり，軍事力と経済力（それに目的によっては文化力を加えてもよい）は理論上区別できても，実際上は国家がこれらのパワーのうち1つだけを切り離して長期間持ち続けることはできない。「富国」は「強兵」に翻訳し得てはじめて意味を持つ。

「パワーは本質上不可分な全体である」というこの命題は，パワー・ポリティクスのパラダイムのもとでは，公理のようなものである。しかし，第2のサークル，すなわち先進工業国間の関係（西西もしくは北北関係）は，もはやこのパラダイムではとらえ切れないものとなっている。いわゆる「相互依存」関係と呼ばれるものが，そこでは支配的である（と少なくとも考えられている）。パワーとマネーの相克や乖離が特有の問題を生むのは，とりわけこの第2のサークルの内部においてである。

今日の国際関係における政治と経済の相互作用という現象をとらえにくくしているのは，政治における多元性と経済における単一性との（前述したような）相克という問題に加えて，つい先に指摘したような古典的なパワー・ポリティクスの論理が，現に存

在する東西関係という実例を通して，さらには一昔前の国際関係の歴史的記憶に基づくイメージを通して，相互依存関係の中におかれているはずの諸国家間の問題を取り扱う際にも，知らず知らずのうちに入りこんでくるためである。仮に西側先進国間の関係を「文明化された国家間のルール」と呼ぶならば，未だ文明化されていない「野蛮」な国家関係が一部に生き残っている間は，文明社会のルールは貫徹できないといえるのかもしれない。

　第3のサークルの存在は，問題をさらに複雑化させる。いわゆる南北関係がそれである。「第三世界」がそれ自身複雑多様な諸国家からなり，一括しにくいことはよく指摘される。ここでは，先進工業国間の相互依存のネットワークの中に十分に組み込まれていないが，だからといって先進工業国を相手に古典的な意味でのパワー・ポリティクスを展開しているのでもない諸国家群の存在を確認できればよい。これらの諸国にとっては，「国境を越える」ことよりも「国境を安定させる」ことが先決なのである。しかも，先進国によって支配されている世界経済システムとのつながりを何らかの方法で利用・処理しながらこの課題を追求しなければならないというところに，これらの諸国からみた政治と経済の相互作用の困難さが存在している。

2　歴史的概観

　前節では，今日の国際関係における政治と経済の相互作用を観察し分析する際の基本的な視点について述べた。国境を越えて営

まれる社会的相互作用の増大が，伝統的な国境を次第に無意味化させつつあるというのが，議論の大前提である。

　しかしながら，前節の最後に述べたように，国境をはさんでの厳しい対立・抗争という古典的なパワー・ポリティクスの世界と，すでに国境を越えつつある文明の世界と，これから国境を安定化させたいと熱望している開発途上の国家からなる世界と，3つの異なる世界が並存している。地球上のすべての人びとが同一の歴史的時代を生きているというよりは，異なる3つの歴史的局面を現代の人類は同時に経験しつつあるといってもよかろう。現代を生きるためには，この3つの異なる歴史的局面を同時に見ることのできる複眼的思考が必要である。

　上に述べた3つの歴史的局面と1対1で対応するという意味ではないが，政治と経済の相互作用という視点からすると，3つの異なる見方ないし時代思潮がこれまでに継起した。その各々は，特定の時代の歴史的現実を背景として生まれたものではあるが，今日の国際社会を見る際にも，多かれ少なかれ影響を持っている。

重 商 主 義

　国際関係史のうえでは，17世紀の半ば頃までに，今日にまで続く近代的国際社会の骨格ともいうべきものができあがったとされている。三十年戦争とその終結をもたらしたウェストファリア条約（1648年）がその形成の画期をなしたと考えられているので，近代的な国際社会は，ウェストファリア・システムとも呼ばれる。主権的存在として互いに対等な国家を構成単位とするこの

システムは，個々の国家による利益（国益）の追求を動因とし，秩序維持の手段としては国際法と外交を持つというものであった。

　近代的な技術とその成果である軍事力と経済力を利用できるようになるにつれて国家はますます大きな能力を持つようになり，次第にその規模を拡張していった。近代国家というこの制度は，まず西ヨーロッパの一隅に成立・発展したが，以後，強国による征服と植民地化をつうじて，また彼らに刺激されて自ら西欧モデルを模倣して近代国家建設に努力する非ヨーロッパ諸国民の対抗運動をつうじて，それは次第に全地表に拡大していった。

　一方，国家は，まず君主（国王）の事業として建設もされ運営もされたが，やがて国民が政治的主体として登場すると，国民国家として性格づけられるようになる。また，その社会経済的構成においても，農業を主とするものから工業社会へと変化していく。このような量的（外的）増大と質的（内的）変化にもかかわらず，国際関係の基礎的構成単位としての国家の性格と機能は，最近の３世紀半をつうじて一貫したものがあった。

　　　近代的国家の形成の端緒は西ヨーロッパにおいて，少なくとも13，14世紀にさかのぼることができるし，地表全体を覆う「国際システム」ないし「世界システム」の成立を16世紀からとするのが最近の研究動向であるが，ここでは，近代的国家の諸観念が自覚的なものとして成立した17世紀中葉を，「近代」の始まりとしておく。

　一言でいえば，17世紀中葉のヨーロッパの動きが象徴するものは「国家の時代」の到来である。そこにおいては，経済を含め，技術も学問もすべてが国家的目的の見地から評価され経営された。

そのような時代的背景のもとに発展したのが重商主義理論とよばれるものである。

　重商主義とはその名にもかかわらず，商人の思想というよりはむしろ国家の統治者や官僚の思想である。そして，それが追求する目的は，商業的・経済的というよりは政治的・戦略的なものであった。というよりも，政治（パワー）と経済（マネー）とが別々のものとは考えられてはいず，それは本来不可分一体のものとしてとらえられていたのである。「富国」も「強兵」も，同じ国家的目的（国益）のための手段に過ぎなかった。

　重商主義思想の根底にあるのは，国家間の厳しい生存競争という観念であり，ゼロサム的な国際システム観である。17 世紀の西ヨーロッパとは，1 世紀の間に僅か 4 年の平和しかなかった時代であるといわれるほどであることを知れば，このような観念が支配したのはもっともである。

　こうした状況のもとでは，経済的富の獲得と維持が国家間のパワー・ゲームと無関係なものとして考えられるはずもなかった。もとより貿易も経済戦争の一局面に過ぎなかった。こうして，物価や賃銀の統制，産業の育成，製品の輸出と原材料の輸入の奨励，製品の輸入と原材料の輸出の禁止などが，国家のとるべき経済政策であるとされたのである。同様な観念はまた，労働力の増大，市場の拡大，兵士の供給源の増大に資するというねらいから，積極的な人口増大政策（産めよ殖やせよ）ともなって現れた。

　重商主義政策の中心概念となったのが，「バランス・オブ・トレード」（貿易のバランス）である。輸出が輸入を超過する分だ

け国庫に金銀が蓄えられていき，それが「国富」の増大を示す尺度だと考えられた。それはあたかも，「バランス・オブ・パワー」が彼我の力の格差を意味し，自国に有利な「バランス」（残高）の獲得と維持をめざす政策と考えられたのと似ている。ゼロサム的な競争システムを前提とする限り，マネー・ゲームにおける「バランス」の追求とパワー・ゲームにおける「バランス」の追求とは，同じコインの裏表と考えられたのも無理はないのである。

　今日においては，貿易差額をそのまま国富（経済力）を測る尺度と考える素朴な見方は力を失った。しかし，国際システムをゼロサム・ゲームの場と考え，経済力もパワー追求のゲームの不可欠かつ不可分の要素であるとする考えは，いぜんとして後を絶たない。経済戦争といういい方が単なる修辞ではなく，実質的なものと考えられかねないのである。

　自 由 主 義

　重商主義思想を批判し克服するものとして登場したのが自由主義思想である。そこでは，政治（パワー）と経済（マネー）の関係はどのようなものとしてとらえられていたのであろうか。結論からいえば，経済の政治からの独立が新しい思想のテーマであった。

　重商主義国家（政治史上は絶対主義国家とも呼ばれる）の介入からの経済活動の独立の理論的試みは，18世紀の中頃に明確な姿をとりはじめる。フランソア・ケネーの『経済表』は1758年

に，アダム・スミスの『国富論』は 1776 年に，それぞれ発表された。新しい理論によれば，重要なのは貿易差額による金銀の蓄積ではなく，財貨の生産であり，そのためには国家（政府）による経済活動の規制は少なければ少ないほどよいとされた。外国製品のほうが国内産のものよりも安価に得られるならば，それを輸入することの方が，国の富の増進になると説かれた。

　　　ケネーらの重農主義学派は，国富の源泉は土地の生産力にあると考えた。この点で，工業生産力に重点をおいたアダム・スミスとは異なる（スミスにも重農主義的要素はあるが）。いずれもが国富の増大を目的としたが，そのための最善の方法として，重商主義者が国家の介入を説き，重農主義者とアダム・スミスらの自由主義学派が「自然」に任せよと説いた点で異なる。

　個人が私的な利益を追求することが結果としては公共の利益（国富）を増大することになるので，経済目的（国富の増大）に関する限りは，何もしないのが最善の政府であるというのが，この思想の説く政治論である。

　上に述べたように，自由主義の理論は単に経済に関するものであるだけでなく政治のあり方をも説くものであるので，政　治　経　済（ポリテイカル・エコノミー）という名で当時は呼ばれた。その点では，前代の重商主義理論における政治と経済の不可分性という観念が継承されているが，重点は明らかに国家論から経済論に移動している。19 世紀に入っても，政　治　経　済（ポリテイカル・エコノミー）の名称は残るが（たとえば，ジョン・ステュアート・ミルやデイビッド・リカードら古典派経済学者の著作のタイトルを見よ），やがて 20 世紀に入ると，文字どおり経済学（economics）として名称の上でも政治学からの分離と独立

が完成するのである。

　自由主義思想は，このように，多かれ少なかれ反国家主義的傾向を持っている。重視されるのは国家ではなく個人である。個人の自己実現を究極目標とする自由主義はさまざまな思想的起源を持っており，経済生活の国家からの独立の要求だけを動機とするわけではない。それだけに，同じ自由主義的な思想に立つ政治経済論といっても，政府（国家）の役割——政治と経済の相互関係——についての所説はまちまちであって，そのことが，自由主義とは何かをめぐる議論に混乱をもたらす有力な原因となっている。

　アダム・スミスをとってみても，彼のいう「国富」の主体は，確かに重商主義論者の念頭にあった「国家」（つまり国王と国家官僚）よりも広いものではあったが，単なる「人民」だけでもなかった。それはつぎの引用からも明らかであろう。

> 政治家または立法者の科学の一部門と考えられる経済学（political economy）は，2つの別個の目的を立てているのであって，その第1は，人民に豊富な収入または生活資料を供給すること，つまりいっそう適切にいえば，人民が自分のためにこのような収入または生活資料を自分で調達しうるようにすることであり，第2は，国家すなわち共同社会（state or commonwealth）に，公共の職務を遂行するのに十分な収入を供給することである。経済学は，人民と主権者との双方を富ますことを意図しているのである。（岩波文庫，大内兵衛・松川七郎訳，395ページより）

　では，「主権者の職務」とは何であろうか。アダム・スミスによれば，それはつぎの3つである。第1は，「その社会を他の独立の社会の暴力や侵略から保護する義務」であり，第2は「その社会のあらゆる成員をその他のあらゆる成員の不正または圧制か

らできるかぎり保護する義務」であり，第3は「ある種の公共土木事業および公共施設を建設し維持する義務」である。

この3つのうち，当面の議論に関連するのは，第1の義務である。第1の義務のために国家（主権者といっても政府といってもよい）に要求される活動の範囲は，国際システムの状況に依存する。4年間しか平和な期間がなかった17世紀と，パックス・ブリタニカと呼ばれた18世紀ないし19世紀とでは，時代思潮はおのずから異なるであろう。また，同じ時代にあっても，国力の競争において後れをとっていると自覚している国とそうでない国とでは，国家の役割についての考えは違ってこよう。国富（経済力）を増大させるための手段として何が効果的であるかについては，素朴な重商主義の金銀蓄積思想と比べてより洗練された政策体系がとられるようになるであろう。しかし，国家が他国との関係をゼロサム的競争と見る度合に応じて，経済政策を「国家」の観点から（すなわち「国力」増大の競争という見地から）評価し，運営する傾向は強くなるであろう。

こうして，自由主義の重商主義に対する，個人（ないし社会）の国家に対する，経済の政治に対する勝利は，その当時においてさえ一見するほど完全なものではなかったのである。

20世紀の意味（新重商主義）

国庫に蓄えられた金銀の量が国富（したがってまた国力）を測る尺度であるという素朴な概念は重商主義とともに退場した。そのかぎりでは，パワー（権力）とマネー（金貨）という比喩的表

現は妥当性を失った。しかしながら，経済と政治の相互作用というわれわれのテーマが，自由主義の登場とともに消滅したのではないことは，前節で述べたとおりである。

　しかも，一般に自由主義の時代といわれる 18・19 世紀においても，自由主義思想が各国の政策を一様に支配したわけではない。やや単純化していえば，後発国ほど国家が経済政策で果たす役割が大きく，したがって先進国が自由主義に転じても後発国はなんらかの形での重商主義（保護主義）政策を採用するという傾向が見られる。これは，近代化・産業化の遅速が国によって異なることの，当然の結果であるともいえる。

　たとえば，「通商国家」オランダに対抗する必要のあったイギリスは，ほぼ 2 世紀間（16・17 世紀）にわたって重商主義政策に固執した。そのイギリスと対抗しつつ国力の発展に腐心したフランスでは，ルイ 14 世の大蔵大臣コルベールの殖産興業政策やオランダ・イギリスを相手とする彼の果敢な貿易戦争に，その重商主義の代表的表現をみることができる。英仏間の経済戦争は，1786 年の英仏条約で一応終止符が打たれたが，重商主義政策がこれ以後完全に放棄されたわけではない。むしろ，国内産業の育成をねらいとする高関税が，従来の正面切った輸入禁止に代わる手段として多用されるようになったのはそれ以後である。英仏関係で自由貿易主義が勝利し，イギリスがフランス製品（ワインを除く）に対する輸入関税を全廃し，フランスが 5 年以内にイギリス製品に対する関税を最高限度 25% までに削減すると約束したのは，ようやく 1860 年のことであった。

それよりさらにおくれて産業革命の波に乗った諸国——ドイツ，イタリア，アメリカ合衆国，ロシア，日本など——が，先進国（とくに英仏2カ国）に追いつき追い越すことを目標に，多かれ少なかれ重商主義的政策を採用したのは，19世紀の後半以降20世紀にかけてである。日本についていえば，明治国家が採用した殖産興業・富国強兵政策を想起すればよい。アメリカ合衆国も南北戦争（1860年代）以後，当分の間は高関税政策を採用した。

　このように，最先進国であるイギリスを除く諸国が，当時，自由主義的経済政策を忠実に採用していたとはいえないが，それでも比較的な意味において自由主義の時代と呼べる時期が，19世紀から20世紀の初期までは続いた。この情勢を大きく変えたのが第一次世界大戦である。

　1815年のウィーン会議以後の約1世紀は，植民地征服戦争を除けば，主要先進国間の直接の戦争がなかったという意味で「平和の世紀」と呼ばれる。ともかくも「自由主義」が国際貿易のルールであると考えられ，政治と経済を別個の領域と考えることができたのは，そのような国際情勢を背景としてであった（西力東漸という緊張感のもとで国家建設の事業に没頭した明治維新以後の日本から見て，世界が全く別に見えたことは，ここではしばらく措くことにする）。

　産業革命を経験した一群の先進工業国間の直接的戦争としてはじめてのものが，第一次世界大戦であった。この経験が，政治と経済の関係についての諸観念に大きな変化をもたらすきっかけとなったことは不思議ではない。戦時経済の直接的影響から脱した

後も，全体戦争の思想にみられるような新国家主義の台頭，1920
年の経済危機や1929年の大恐慌に象徴されるような世界経済の
諸条件に促されて，世界の主要国の政府は，多かれ少なかれ重商
主義的な政策を採用した。ゼロサム的な状況認識とそれに基づく
実際的要請が，このような政策転換をもたらしたのである（日本
の場合は，前述のような理由で，この変化は「転換」としてより
も明治以後の経験の自然な「延長」として意識された。大恐慌後
の日本の政策的対応——高橋是清によって代表される——が諸外
国に比して敏速であったことをここで想起せよ）。こうして，新
重商主義の時代ないし経済ナショナリズムの時代とよばれる状況
が出現した。

　E.H.カーが「危機の20年」と名づけたのは，このような時
代であった。彼が同名の著書の中で，「パワーとは本質上不可分
な全体である」という命題を述べ，政治と経済の分離という自由
主義者の幻想を鋭く批判したのは，もっともなことである。

　危機の20年（または戦間期）における新重商主義の台頭は，
しかし，単なる17世紀的思想への先祖返りではなかった。ゼロ
サム的状況の中での戦う国家としての要請のほかに，もう1つ別
の要請が20世紀の国家には感じとられた。それは，アダム・ス
ミスがいう主権者の第2と第3の義務にかかわるものである。

　国家というものは少なくともその理念においては，洋の東西を
問わず古くから，弱者救済を本質的機能としてきた。それを，西
欧ふうに「正義」の実現とよぶか，中国ふうに「仁政」とか「経
世済民」と称するか，あるいはインド哲学ふうに「ダルマ」とい

16

うかは別として。たとえば，古代インドの思想家カウティリアは，魚の法則すなわち，強者（強大な魚）が弱者（弱小の魚）を食うことを防ぐのが王杖（王者の持つ杖）の存在理由だとした（岩波文庫，『実利論』上巻，33 ページ）。社会的弱者を社会的強者から保護するためにこそ，国家の権力は行使されなければならないというのである。

　アダム・スミスが主権者の職務として「その社会のあらゆる成員をその他のあらゆる成員の不正または圧制からできるかぎり保護する義務」について述べたとき，彼の念頭にあったものは，多分，厳正な司法行政の確立（つまり犯罪の取締りと処罰）であった。しかし，社会的公正についての観念は時代とともに変わり得る。20 世紀になると，経済的貧窮者の救済が政治の責任であるという考えが広く受けいれられるようになった。個人の自由な経済活動を国家の干渉から解放することが課題であるとされた時代から，私的な自由競争の結果としての貧富の格差を公的な手段によって是正することが政治の課題と考えられる時代へと変わったのである。

　さらに，スミスのいう主権者の第 3 の義務——公共の設備の提供——に関しても，単に公共財（道路や公園等）の供給という見地からの要請だけでなく，ケインズ流の雇用創出と総需要拡大のための公共投資という財政政策の見地がこれに加わって，政府の積極的な役割がむしろ奨励されるようになった。

　このようにして，一見相矛盾する 2 つの要請——戦う国家 (warfare state) と福祉国家 (welfare state) ——が手を組んで国

家の役割を拡大する方向に作用するようになったのが 20 世紀である。

3 現代における国家

　20 世紀が安全と福祉の 2 つの面で，より積極的な国家を必要とする時代であるとするならば，われわれがこの章の議論の出発点に想定した「死滅しつつある国境」という観念について，ここで立ち返って考えてみなければならない。果たして国家はその歴史的使命を終えて歴史の舞台から退場しつつあるといえるのであろうか。

　すでに述べたように，今日，地球上のすべての人が 1 つの時代を共有しているというより，異なる歴史の局面を同時的に経験しているとみるべきである。したがって，上の問いに対する答えも，どの局面に身を寄せるかで異なってこよう。しかし，「国境を越える」現象が最も発達しているのは，いわゆる相互依存的ネットワークに深く入りこんでいる先進工業国間の関係（第 2 のサークル）においてであるし，ここでこそ，国家の伝統的な観念と国際社会の新しい現実との緊張関係が最も鋭く感じとられているといえるから，われわれは基本的にはその視点からものをみていくことにしよう。

安全——富国強兵ゲームの終焉
　一般に国家の役割について否定的な自由主義的経済学派によっ

てでさえ，国家の対外的安全保障機能が当然視されるのは普通である。アダム・スミスが，国家（主権者）の職務の第1に，社会を他の社会の暴力や侵略から保護する義務をあげたことは，すでに指摘した。彼は，戦争をまかなう方法について重商主義者流の金銀の蓄積によるべしという考えを批判し，イギリス製品を輸出することで十分まかなえると論じた。戦争そのものの是非善悪は，彼の問うところではなかった。バランス・オブ・トレードを虚妄としてしりぞけたアダム・スミスやデイビッド・ヒュームも，バランス・オブ・パワーは否定しなかったのである（この点については，ヒューム『市民の国について』〔小松茂夫訳，岩波文庫〕所収の「勢力均衡について」と「貿易収支について」が特に面白い）。

時代が下がりパックス・ブリタニカの盛時になると，リチャード・コブデンやジョン・ブライトのように，国際自由貿易は軍備の縮小と平和な国際社会をもたらすと説く論者も出てきた。彼らはバランス・オブ・パワーをも虚妄としてしりぞける。しかし，こうしたマンチェスター派の自由貿易論者の平和主義は，当時の愛国的なイギリスの世論の前では，少数の声にとどまり，たとえばパーマストン内閣の「好戦的」な中国政策（アヘン戦争）を変えさせるだけの影響力はもたなかったのである。

すでに指摘したように，20世紀に入り重商主義的傾向がふたたび強まると，マンチェスター流の自由貿易論やそれと関連した国際協調論の退潮はいっそう明らかになる。ユートピア的利益調和論を批判したE.H.カーが，「経済的力は，つねに政治的権力

の一手段であった。もっともそれは軍事的手段と結びつくことを通じてそうなのであるが」（井上茂訳『危機の二十年』岩波書店, 151ページ）と論ずるのは, そうした状況のもとにおいてであった。

　大局的に歴史を通観すれば, 国際システムは, 時とともにより対立的なものからより協調的なものへと漸次的に推移してきたのではなく, 対立的局面と協調的局面との交代という波動を示しているということがいえそうである。この長期的な波動ないしサイクルという現象は, 近年, 多くの理論家の注目を集めている（G.モデルスキー, R.ギルピン, 公文俊平など）。

　国際システムの波動がどのようなメカニズムで, どの程度の規則性をもって生じるのかは未だ十分に解明されてはいないが, ここでは, 国際社会が時間とともに次第により協調的なものへと変わってきたとはいえないことを確認しておけばよい。そして, この国際システムの波動的変化と国家の役割についての議論の消長とは, 当然のことながら, 密接に関連している。

　第二次大戦後の時代についてみるならば, 自由・無差別・相互主義を原理とする多角的な国際貿易レジームとしての GATT（関税および貿易に関する一般協定）や IMF（国際通貨基金）, OECD（経済協力開発機構）など, 政治的障壁に妨げられることのない国際経済活動の促進をねらいとした制度や機構があいついでつくられた。確かに, ソ連をはじめとする共産主義諸国は（1, 2の例を除いて）その圏外にとどまったが, それを除けば, 通商の輪でつながれた「1つの世界」という自由貿易論者の永年の夢が遂

に実現に近づいたかに見えた。この輪の中では，戦争は無用であり，有害でもある。国際システムについてのゼロサム的なイメージに代わってノン・ゼロサム（協調）的なイメージが支配的になった。こうした状況のもとで，人びとが国境の存在を意識することは少なくなった。

　ところが，1960年代をピークとして国際協調主義はまたもや退潮し始め，以後，国際システムはゼロサム的様相を濃くしはじめたかに見える。それが，国際経済状況の全般的な悪化（成長の鈍化）に起因するのかアメリカの政治的リーダーシップの喪失によるのかはともかく，通商が国際協調のシンボルであるとされた時代から，通商が国際紛争のシンボルであるかの如き観を呈する時代へと変わってきたことは否めない。通商摩擦とか経済戦争ということばが多用されるようになったことが，そのような時代の空気の変化を物語っている。

　このような変化は，「戦う国家」の再登場の先触れとみるべきであろうか。従来の一見似たような歴史的局面と異なる決定的な事実をここで想起しておかねばならない。それは，第二次世界大戦を境として，国家の対外安全保障機能に革命的な変化が起こったことであり，多分この変化は不可逆的なものであろう。

　この変化をもたらしたのは，軍事技術的には核兵器と長距離ミサイルの出現である。その結果，敵との距離を保つことによって無条件的生存可能性を確保しようという伝統的な国防観は，最終的に破産してしまったのである（ケネス・ボールディング『紛争の一般理論』）。

無論，安全保障という国家の義務そのものが消滅してしまったのではない。それぞれの国家が城砦に閉じ籠り，武器庫に敵をしのぐ武器を蓄えるという伝統的な方法が破産してしまったのである。金庫に他国よりも多くの金銀を蓄えることが国富を増やす所以ではないというのにやや似たことが国力についてもいえるようになった。現代的諸条件のもとでの安全保障は，一国単位の「防衛」ではなく多角的協力による「抑止」でなければならない。

　安全保障上の要請がこのようなものであるかぎり——そしてそれは，現在の相互核抑止システムを全く無意味化してしまうような新技術が現れないかぎりは不変であろう——多角的協力の輪の中にいる諸国が相互の間で軍事力によって利害の相違の決着をはかるということはあり得ない。先進国間の「経済戦争」は，かつてのように経済的手段による戦争を意味するのではなく，あくまで「経済摩擦」に過ぎないのである。こうして，少なくとも「文明」の世界の内部では，「経済力」（富国）をめぐる競争と，「軍事力」（強兵）をめぐる競争との直接的連関は断たれたのである。ただし，心理的連関が断たれたとはいえないが。

福祉——富国富民ゲームの登場

　では，国家の機能のもう1つの側面はどうであろうか。弱者の救済とか社会的不正の防止とかがそこに含まれるはずであるが，今日では，よりポジティブに福祉の実現というほうが分かりやすいであろう。ここでいう福祉とは，一定のパイをいかに公平に分配するかというだけでなく，パイそのものの生産をいかにして増

大するかという問題をも含む。平たくいえば，国民に良い生活を
保障することであり，経済という語の源である「経世済民」とは
元来このような意味を持っていた。

　　貧窮者の救済とか不正行為の防止や処罰とかはいわば最悪事態^{ワースト・ケース}
　への対処であり，現代の国家がこの機能を要求されることはいう
　までもない。徹底した自由主義論者は国家の機能をこのレベルに
　とどめようとする。しかし，今日では，方法はともかく，国民生
　活の向上（よりよい生活）が政治の達成目標であるという考え方
　が定着している。政治についてのこのような積極的な見方を，こ
　こでは前提としている。

　このことが何を意味するのかといえば，各国の政府は，その国
民にどの程度「よき生活」を保障できるかが，国民による評価の
主たる基準とされるということである。この事実は，その国の政
治形態の如何を問わず一般的にいえるが，とくに，政府の存続が
選挙民の支持に基礎をおくことが制度として確立している先進工
業諸国（議会民主主義諸国）においてあてはまる。

　ところで，「よき生活」とは何かは人びとの価値観によるが，
物質的な意味での「よき生活」が少なくとも公的政策をつうじて
実現されるべき目標としては，普遍的に受け入れられていると考
えてよかろう。その限りでは，精神的な意味内容を持つ「価値」
と経済的な「利益」という概念は，事実上，区別が難しい。こう
して，現代における政治（公的政策の決定）と経済とは不可分の
関係におかれている。

　今日，「経済の政治化」が問題にされ，国際間で「経済摩擦」
が議論の的となるのは，右のような意味での政治と経済の関連が

あるからである。なぜかといえば，経済現象はしばしば国境を越えたひとつのシステムを形成しており，特定の一国の経済現象がただちに他国のそれに影響を与えるようになっている一方，政治的決定の単位はいぜんとして個々の国家を中心とするものにとどまっているからである。その結果，各国の政策決定者は，みずからが十分なコントロールを持ちえない経済現象について，選挙民に対して政治責任を負うことになる。一方，たとえばある国の経済政策の影響によって他の諸国の国民の経済生活に不都合が生じたとしても，前者の政治的指導者が後者，すなわち自国外の「選挙民」に対しての政治責任を問われることはない。いわば，経済的決算と政治的決算の単位もしくは基準がくいちがっているのである。

このような矛盾を解決するための方法として理論上考えられる第1のものは，経済現象に対する政策的コントロールを増大するために，各国の政策決定者が互いに協力することである。通貨問題をめぐる主要7カ国（G7）ないし5カ国（G5）の政策協調とか，より広くは主要先進国首脳会議（1975年以来，毎年1回開催，現在は米・日・独・英・仏・伊・加の7カ国）に代表される動きは，少なくともこのような精神から行われている。

第2の方法は，各国の政策決定者がそれぞれ，自国の経済に対する政策的コントロールを独自に強化しようとするやり方である。これは，元来，国際的な経済現象を一国の枠内で処理して所定の目的（雇用の増大，景気の増進，物価の安定等々）を達成しようとするものであるから，意図は別として，往々にして結果におい

ては他国の経済的利益を犠牲にすることになる。つまり，現在の政治的決定の仕組み（一国の選挙民の信認に依存する政府）の中で福祉という政策目標を追求するかぎり，各国政府は，いわば福祉ゲームの競争者として互いに相まみえることになる。このゲームの敗者は自国民の信認を失うという形で罰せられる。

この第1と第2の方法の差は，必ずしも一方が政治の経済への介入，他方が不介入というわけではない。むしろ，政治の経済に対する介入（政策的対応）における共同行動か，単独行動かの相違である。したがって，はじめから単独行動をとるという第2の方法をとる場合はもちろんのこと，意図としては共同行動をとるという第1の方法をとった場合でさえ，現実にはしばしば共同歩調の乱れが生じるのは，種々の理由から避け難い。

福祉ゲームの競争者として互いに相まみえる各国政府の間の関係は，このようにして，はなはだ微妙である。時間と空間をしばらく忘れることができるとすれば，比較優位に基づいた分業の論理がいずれは貫徹して，経済的利益（富）の総和は最大となると期待できる。そうすれば，各国の分け前（国富ないし福祉）も増大するかもしれない。しかしながら，政治は時間と空間をはずしては考えられない。そのときそのときに，各々の場所（具体的には国家）で政治的決算はなされる。とすれば，将来の大きくはあるが不確かな利得よりも，現在の小さいかもしれないが確かな利得のほうを優先するのが人情というものである。

このような福祉ゲーム（経済福祉の達成を目的とする各国政府間の政治ゲーム）が，今日の先進工業国間の「政治」のすべてと

はいわないまでも，大部分の内容である。このゲームにおいて，他のゲームと同様，プレーヤーは他におくれをとりたくはない。しかし，現実には，優勝劣敗は免れない。敗者は，その敗北の原因を他人の行動に帰すことができなければ，みずからその責任をかぶらざるを得ない。それを逃れるために，他人に責任を押しつけたいという誘惑は，しばしば抗し難いほど強いものがある。幸いなことに（彼の観点からすれば），ナショナリズムは未だ十分に強固であり，選挙民は自国政府よりも他国政府に責任を転嫁することには喜んで賛同する。しかも，経済に対する政治の介入のあり方について，歴史的伝統の相違や文化的風習の相違など多様な理由に由来する相互間の相違は，その気になれば数限りなく発見できる。これらの相違が，このゲームの優勝劣敗の原因として，容易に引合いに出されるのである。

　勝者からみても，このゲームの性格は複雑である。経済においては，結局において徹底的な勝利は，取引相手を破滅させることによって顧客を失い，みずからの経済的機会の喪失を招かざるを得ない。したがって，当面の勝利に安閑としているわけにはいかない。もし，このようなゲームが，古典的なパワー・ゲームの一部であり，相手のパワーを減少させ，あわよくば抹殺することが窮極の目標であるならば，もちろん話は別である。この点が，「富国富民」のゲームが「富国強兵」のゲームと決定的に異なるところである。

　こうして富国富民のゲームでは，パワーの性質や機能は独特のものとなる。それは，ニュー・パワー・ゲームまたはニュー・ポ

リティクスとよんでもよいほどのものである。日本を「経済大国」というとき，それが何を意味するのかを考えることで，この「新しい政治」の様相に迫ってみよう。

4 戦後日本の意味

　現代の日本について語るとき，それを「経済大国」として特徴づけるのが一般的である。それは，「経済大国ではあるが未だ軍事大国ではない（やがてはそうなるかもしれない）」とか，「経済大国にふさわしい政治的役割を未だ果たしていない（やがてそうなることが期待されているが）」とかいう，暗黙の命題と関連づけていわれることが多い。いずれにせよ，「経済大国」とは，はなはだあいまいで不完全な概念であるといわざるを得ない。経済大国とは何か，そもそも日本は経済大国であるのか，こういった問題について，本章の最後に考えてみたい。

パワーとは何か

　経済大国（エコノミック・パワー）とは何かという本節のテーマに迫るためには，まずパワーとは何かについて一切議論せずにすますわけにはいかないであろう。

　広義のパワー現象は，

　(a)　強制を伴う影響力（圧力とよぶ）

　(b)　強制を伴わない影響力（単に影響力とよぶ）

　(c)　一方的な実力行使

の３つの形態に分けられる。もしある行動の主体（以下，ここでの議論の便宜上「国家」と同義と考える）Ｂが，別の国家Ａの意志表示（行動，要求，希望，提案，示唆，期待など）の結果として自己の行動をＡの意向に合致するように修正した場合，ＢはＡに影響された（逆にいえば，ＡがＢに対して影響力^{インフルエンス}を行使・発揮した）といえる。その際，Ａの意向に沿って行動を修正することがＢの本来の達成目標にとってマイナス（制約的なもの）であるときは，強制を伴う影響力(a)とよぶ。これに反し，Ａの影響がＢの本来の達成目標にとってプラス（激励的なもの）であるときは，強制を伴わない影響力(b)と名づける。ことばを節約するために，以下，(a)を圧力，(b)を影響（力）とよんで区別しよう（権力という日本語は(a)を含むが(b)を含まないことが多い。より広い意味を持たせるためには，パワーという表現を使う）。

　つぎに，パワーの行使には，強制的であるにせよないにせよ，影響力という形をとらないものもあることに注意しておく必要がある。それは，Ａ国がＢ国の行動に何らかの変更をもたらそうというのでなく，単純に自己の欲するもの（典型的には領土）を実力で奪取したり，Ｂが欲している何らかの価値をあえて拒否して彼に与えないというやり方である。影響力行使が，強制的であろうとなかろうと，相手の行動や政策に一定の変化をもたらすことを通じて自己の目標を達成しようとする方法である（その意味で相互作用である）のに対して，単純な実力行使は一方的な行動によって既成事実をつくりあげ，利益配分を自己に有利なように変更してしまうというやり方である。実力行使の受動的な形は拒否

力（相手の欲する価値をあえて拒否する能力）である。

たとえば，アメリカの対日市場開放の要求は，普通，(a)のケースとして解釈されているし，同じくアメリカの日本に対する対外援助強化の要請は——個々の事例についていうと単純ではないが全体としては——(b)のケースとみなし得よう。(c)の事例としては，1971年8月にニクソン大統領がとった新経済政策（ドル・金交換停止宣言および輸入課徴金）をあげることができよう。(c)はともかく，(a)と(b)の区別は，しばしば微妙であり，見方によっては圧力行使ともとられるし，ここでいう影響力の発揮とも受けとれる。それは，利益観には結局のところ主観的要素が入り込むし，また国益といっても生産者対消費者，都市対農村，使用者対被用者，政府対企業等々の立場の相違によって一様には定義しにくいからである。したがって，ある人にとっては影響力でしかないものが，ある人にとっては圧力と映ることがあるかもしれないのである。

パワーについて論ずる際に有用なもう1つの注意点は，潜在的パワーと現実化されたパワーとの相違である。前者はいわばパワー行使（上述の(a)(b)(c)のいずれかによる）に必要な手段であり，獲得し蓄積できる。目に見えるものとしては，国庫に蓄えられた金銀財貨であり（重商主義的理解），武器庫に蓄積された銃砲や砲弾であり，臣民や兵士の数である（古典的な理解）。現代ふうの理解によれば，国民総生産（GNP）で表現されるといってもよい（軍事力については，いぜんとしてミリタリー・バランスという不十分な概念にたよるしか方法がないようだ）。

しかし，問題になるのは，パワーの行使が実際にどのような効果をもたらすかであり，これが現実化されたパワーとさきに呼んだものである。たとえば，いかに巨大な GNP を持っていようと，またいかに多数の核弾頭を持っていようと，それによって望ましい事態をつくり出すこと（ないしは維持すること）ができなければ，効果としてのパワーは小さいということになる（もちろん，GNP の絶対額というより，その「剰余」が問題だから，1人当りの GNP がものをいう）。

　パワーについての以上のような概念整理を行ったうえで，果して今日の日本は経済大国といえるのか，いえるとすればどのような意味でそういえるのか，というつぎの課題に入ろう。

日本は経済大国か

　これまでに述べてきたところから，つぎのことが明らかであろう。政治とは，しょせん，友敵関係であり，存在をかけた彼我の争いであるというカール・シュミット流の見方で国際関係をみるかぎり，パワーの行使は強制力を伴う敵対的な方法をとるか，一方的な実力行使となるほかない。その場合は，「経済力は軍事的手段をつうじてはじめて政治力となる」という E. H. カーの命題が成り立つ。かつて重商主義者が国庫に金銀財貨を溜め込むことに熱中したのは，いざというときにはそれで戦費をまかなうことができるし，またそれでしか戦費をまかなうことができないと考えたからである。経済力の概念が「マネー」からより広い「富」に変わったあとでも，上の命題に本質的な変化は生じなかった。

このような敵対的関係を前提とするかぎり，大きな GNP（厳密には経済的剰余〔economic surplus〕）を持っている（潜在力）としても，それだけでは，現実化されたパワー（効力）とはなりにくい。そのことは，いわゆる「経済制裁」（経済力の強制的・敵対的行使）がたいていの場合，大した効力を発揮しないことをみればよく分かる。それが効力を発揮するのは，1972 年の OPEC（石油輸出国機構）による石油戦略の例のように，きわめて特殊な条件（たとえば，供給者の数の限定と売り手市場という状況）がそろっている場合だけで，それは稀なことでしかない。

　もちろん，経済制裁は，相手の行動を強制的に修正させることを目的とするだけではない（アラブ諸国の石油戦略は，アラブに同情的な行動を日本や一部の西欧諸国から引き出すことに成功したという意味で，典型的な圧力行使の事例といえるが）。むしろ，一方的な行動によって，事実上，相手に不利な状況をつくり出すことを目的とし，その意味で一定の効力を発揮するのをねらうという場合が多い。たとえば，アメリカをはじめとする西欧諸国がソ連（そしてある時期までの中国）に対して戦略的物資の輸出を禁止ないし制限してきたという例がそれである。この場合，目的は，相手の行動をより宥和的なものに変更させるというより，その国力の増進を妨害することにねらいがあったといったほうがよかろう。こうしたパワーの行使——上述の分類でいえば実力行使に属する——がどの程度の効果をもたらしたかは，ことがらの性質上，正確には測定しがたい。

　戦前の歴史に例をとれば，1937 年以降の英米による対日経済

制裁が，蘆溝橋事件にはじまる日本の対中国政策に変更を迫ることをねらいとしたものであるとしたならば，その効果はなかったことになる。しかし，日本の戦争遂行能力を低下させ逆に中国の抗戦力を高めることが目的であったとするならば，一定の効果はあったといえるかもしれない。しかし，仮に，英米諸国があくまで経済制裁の範囲に敵対的な力の行使を限定したとしたならば，それだけで所期の目的（日本の敗北）を達成できたかどうかは分からない（英米の対日経済制裁については，渡辺昭夫「英米による経済制裁の危機と日本の対応・1937〜1939年」近代日本研究会『日本外交の危機認識』山川出版社，1985年および，鈴木晟「日中戦争期におけるアメリカの対日経済制裁と対華援助」『アジア研究』1986年4月を参照）。

ところで今日の日本は，経済的手段を行使して他国の行動に修正を強いたり（タイプ(a)），その国力の増進を妨害したりする能力（タイプ(c)）を持っているであろうか。

まず上述の一般的理由から，タイプ(a)についていえば，それははなはだ限られた効力しか持ち得ないであろう。そのうえ，今日の日本の場合，軍事的手段の行使はきびしく制約されているし，そもそも強制的に自国の意思を他国に押しつけるという気構えがない。万一，日本がそのような行動をとろうとしたときには，より威信のある強国（たとえばアメリカ）の似た行動に比べて，相手国の反発はそれだけ強いことが予想されるので，むしろ逆効果でさえあろう。すなわち，コストがそれだけ大きいので，力の効果はその分減殺される。これらの追加的理由から，日本による経

済力の強制的使用が生む効果はあまり大きくないと考えざるを得
ない（数少ない実例にベトナム援助の停止があるが，それがカン
ボジアからの兵力撤退をねらってのものだとすると，その効果は
疑わしい）。

　もっとも，日本がその経済的便益（たとえば経済援助や技術協
力）をどの国に振り向けるかによって，特定の国々は他の国々よ
りも多くの利得を獲得できる（逆にいえば，後者は前者に比較し
てより多くの不便を被る）ので，このような差別的配分が系統的
かつ意識的になされるならば，長期的には，各国間の力の配分に
一定の影響をもたらすことはできよう。たとえば明らかな「非友
好国」——前述のベトナムや北朝鮮のような——は，日本や西側
先進国の援助を受けられないことで不利を被る。また，日本が武
器輸出を自制することによって，国際紛争の武力的解決の傾向を
抑制し，非武力的解決の傾向を増進することができるとすれば
（それが日本の平和外交の目的であると公言されている），日本に
とって望ましい国際環境（平和）をつくり出したことになる。こ
れらはいずれも「実力行使」型に属する。しかし，この種の実力
行使は，経済制裁についてさきに指摘したように，他に同種の便
宜（経済援助であれ武器輸出であれ）の提供者がいる限り，効果
は相殺されてしまうから，多くの場合，シンボリックな意志表示
以上の意味を実際は持ちにくいであろう。ただし，先端技術のよ
うに，他に同種の便宜を提供できる国がないか，その数がきわめ
て限られている場合には，かなり効果的な手段となり得る。

　以上の議論にもとづけば，経済的手段の強制的行使ないし拒否

的行使に関するかぎり，今日の日本を経済大国とみなすことはできない。これは，他国の行動を強制的に変えさせるという点で最も効果的である軍事力を一切行使しないという制約を日本が自らに課している以上，当然の帰結といってよい。

　経済的手段を多く持っている（その意味で経済大国である）だけでは，自己の望む方向に事態を動かす能力とはならないという命題は，力の行使の残る1つであるタイプ(b)影響力（協力的・説得的な力の行使）に関しては，かなり趣が変わってくる。それは，さきにも述べたように，経済現象がその性質上相互利益にもとづかない限り，相手を傷つけ自らも傷を負うという共倒れの結果に終わるほかないからである。相互に敵対的なゼロサム・ゲームではなく，ノン・ゼロサム・ゲームが福祉ゲームの基本的性質であるとするならば，そのゲームにおける影響力の相互行使が，現代におけるニュー・ポリティクスの実態である。この影響力の相互行使で，経済的手段をより多く持つものがより大きな影響力を発揮し得る立場にあることは明白である。日本が経済大国としての役割を期待されるのは，まさしくこの理由からである。

　しかしながら，ここでもまた，経済的手段を多く持つ国が，現実により大きな影響力を発揮できるとは限らないのである。それにはさまざまな理由があるが，最も基本的な理由は，政治的決算の時間的・空間的単位が，経済的決算のそれとくいちがっているところにある。いいかえれば，長期的には利益は調和的であると分かってはいても（経済），「いま，ここで」相互の利益は一致しない（政治），という事実があるからである。

こうした関係の中で，経済大国がそれにふさわしい影響力（リーダーシップといいかえてもよい）を発揮するのは，実は，並たいていのことではない。「いま，ここで」の利害の不一致を超えて，将来の利益調和へと結びつけるには，たくましい想像力と構想が必要である。短期的な利益で他者を動かすことはやさしいが，その効果は長続きしない。金銭の力で他者の尊敬をかちうることのむずかしさが，それを証明している。対外援助政策のむずかしさはそこにある。永続する影響力は，システムや制度やレジームをデザインし，そこへみんなの行動を誘導していく能力である。そのようにしてはじめて，短期的利益に基づく行動を長期的な利益をめざす行動へとつなぐことができる。経済大国がそれにふさわしい影響力を発揮するためには，そのような雄大な構想力が必要であり，その意味で戦略的な思考が不可欠である。日本は，この点でもまだ経済大国というにはほど遠いといわざるを得ない。そして，このような構想力，デザイン能力というものは，結局は思想的なものであるから，文化力の問題になる。そのうえ，考えに入れておかねばならないのは，システムの創出・維持のための影響力といえども，影響力の相対的大小という「競争」の側面は存在するので，やはり struggle for power（モーゲンソー）の一形態であるという事実である。新しい政治といえども政治であることには変りはない。

　経済的な富（マネー）を権力ないし影響力（パワー）に転換する装置は，実に複雑・微妙であるというのが本章の結論である。しかも，現実には，新しい富国富民のゲームだけでなく，昔なが

らの富国強兵のゲームもこの世界から消滅してしまったわけでは
ない。さらには富国富民のゲームも，本章で一応想定したように，
先進工業諸国間の関係だけで説明できるわけではなく，南北関係
の中でみるとき「対立」の要素がより強くなるのは否定できない。
現実の世界が今後いかなる方向に向かうのか，その中での日本の
位置づけや役割は何かという問題とのかかわりで，日本のパワー
とマネーの関係を考えねばならないのである。

〔参考文献〕

E. H. カー（井上茂訳）『危機の二十年』岩波書店，1952 年

Robert Keohane and Joseph Nye, *Power and Interdependence*, Little
　　Brown, 1977.

　　カーの原文は 1939 年に出版。Keohane and Nye については邦訳
　がないが，相互依存状況のもとでのパワーの性質の変化について考
　えたいひとには必読。両者を読み較べることで，約 40 年間の国際
　政治状況の変化を感知できよう。

C. キンドルバーガー（益戸欽也訳）『パワー・アンド・マネー』産
　業能率大学出版部，1984 年

　　国際経済学者として世界的に著名な著者による名著。原書の刊行
　は 1970 年。国際政治の経済学と国際経済の政治学とに分けて，重
　要な事項（主権，パワー，帝国主義，戦争，平和維持，貿易，援助，
　移民，資本，企業，決済，マネー）を興味深く論じている。この
　テーマについての必読書。

Klaus Knorr, *The Power of Nations: The Political Economy of Interna-
　　tional Relations*, Basic Books, 1975.

　　現代アメリカの国際政治学者による，このテーマについての代表
　的著述。

C. ローゼクランス（土屋政雄訳）『新貿易国家論』中央公論社,
　　1986 年
　　17 世紀中葉のウェストファリア条約以来の近代国際社会の 2 つ
の拮抗する傾向——軍事力を背景とする領土拡張の傾向と, 経済力
を背景とする通商拡大の傾向——の盛衰をたどり, 後者による生存
をはかる国々が増大するのが歴史の趨勢であると示唆する。戦後の
日本の生き方を高く評価する。
経済企画庁計画局編『日本の総合国力——高まる日本の国力と求め
　　られる国際的役割』大蔵省出版局, 1987 年
　　国力概念を生存力, 強制力, 国際貢献力に分け, その数量化の試
みを行っている。
Dennis T. Yasutomo, *The Manner of Giving*, Lexington Books, 1986.
　　日本の果たすべき国際的貢献の一重要手段とされる経済援助の政
治的意味について論じている。
渡部経彦『国際経済の政治学』岩波新書, 1977 年
川田侃『国際関係の政治経済学』日本放送出版協会, 1980 年
猪口孝『国際政治経済の構図』有斐閣新書, 1982 年
　　以上三点は, 日本の政治学者, 経済学者による著述として手頃な
もの。
K. ボールディング（清水幾太郎訳）『二十世紀の意味』岩波新書,
　　1967 年
　　パワーとマネーという主題をこえるが, 示唆と含蓄に富む名著。

2 現代の戦争と平和

は じ め に

　第二次世界大戦の終末期に登場して広島と長崎に惨禍をもたらした核兵器は，その桁はずれの破壊力の故に，国際社会における戦争と平和の関係に根本的な変化を与えた。核兵器の登場によって軍事力は，それを行使することよりも，その存在によって戦争を抑止することに主眼がおかれるようになった。第二次大戦後，米ソ両核超大国の核による相互抑止のもとで東西間の大規模衝突は抑止されているものの，一方では第三世界を中心として地域的紛争が多発し，国際テロなどの新しい脅威も生まれている。本章は，核兵器の登場によって，世界の平和と戦争の関係にどのような変化が生じ，またどのような変化が生じつつあるのかを考察することを目的とする。

1 核兵器のつくりだした世界

　第二次世界大戦の終末期の 1945 年 8 月 6 日，広島に投下され
た一発の原子爆弾は一瞬のうちに二十数万人の人命を奪い，つづ
いて 9 日，長崎に投下されて十数万人が犠牲となった。核兵器は
その巨大な破壊力のために「究極兵器」とまで呼ばれ，その使用
は人類の破滅にまで発展すると恐れられてきた。第二次大戦後，
核兵器は使用されなかったが，戦争はなくならなかった。このた
め，核兵器が使用される可能性は常に存在した。核兵器はその使
用可能性を通じて国際政治に大きな影響を与えている。

　核兵器の登場まで，軍事力は政治問題を解決する有力な手段で
あった。戦争の際，軍事力を行使して相手の抵抗力を喪失させ，
それによって自己の意志を実現することができた。軍事力が強力
であればあるほど，国際政治における影響力を強化することがで
きた。第二次大戦までの世界では，軍事力の増強は自国の防衛も
さることながら，国際政治における影響力を強化する手段となっ
ていた。帝国主義列強が競って軍事力を強化したのはこのためで
あった。

　核兵器の登場は，軍事力と影響力の関係をめぐる伝統的な思考
の成立をむずかしくした。核兵器はその破壊力が巨大すぎるため
に，核兵器を使用して得られる利益には見合わないほどの破壊を
もたらす。米ソ間の核戦力が均衡するにつれて，米ソのいずれが
核を使用しようとしても相手の反撃を呼び，自国に壊滅的打撃を

もたらすことが予想されるようになった。米ソ両核超大国は，お互いに相手を壊滅させることはできても，核兵器を使って政治問題を解決することはむずかしくなった。つまり，核兵器によって自国の生存を守ることはできても，かつてのように，軍事力によって政治問題を解決することはできなくなったのである。

あいまいになった力と影響力の関係

ヘンリー・キッシンジャーは，「力はもはや自動的に影響力に転化しない。しかし，無力であることが影響力を増すという意味ではなく，そうした関係が成立しないことだ」と指摘している。かつてのように，軍事力が大きくなればなるほど，それに比例して政治的影響力を強めるとはいえなくなった。といって，軍事的に無力であることが政治的影響力を強めるともいえない。軍事力と政治的影響力の関係が以前のように比例的な関係としてとらえられなくなったのである。

さらに核兵器の登場は，平和と戦争の境界線を不明確にした。第二次大戦までの軍事力は，それを行使して相手の軍事力を破壊することで自己の意志を貫徹したが，核兵器はその使用可能性を通じて相手の意志に働きかける手段となった。核兵器の登場とともに通常兵力も核兵器と同じような性格を持つようになった。そのために，軍事力を明白に行使しないという意味では平和であるが，同時に政治的影響力の強化を求める競争が激化した。

また，平和時における軍事力の役割がきわめて重要となった。安全保障政策は，軍事的防衛よりも敵対勢力の増大を防ぎ，友好

勢力の強化をはかることを重視するようになった。そして，核時代における軍事力は，軍事的防衛よりも，取引や交渉の手段としての意味を重視するようになった。アメリカの碩学サミュエル・ハンティントンは，次のように述べている。

「対決の時代には，軍事力は対決し，抑止する以外に使用できない。交渉の時代には逆説的ではあるが，軍事力は多くの役割を果たす。軍事力の増強，兵器の決定，配備，活動でさえも，相手の軍事侵略を抑止するだけでなく，相手に交渉のテーブルで妥協させる圧力をつくりだす。交渉が行われていないときには軍事力はこうした役割を果たせない。」

世界の軍備はすでに核兵器を組み込んだ態勢になっており，米ソ両国はその圧倒的に優勢な核軍備によって世界を二分する支配力を確立した。米ソ両国はこの核軍備を背景にして国際政治に大きな影響力を行使している。米ソ両国にとって核軍備の優位性の保持は国家戦略の重要な目標となり，それは核軍備競争を激化させ，米ソ両国はもとより世界を破滅させるに足るほどの核兵器を蓄積し，過剰殺戮（オーバーキル）と呼ばれるような状況をつくりだしているのである。

同盟関係に複雑な影響

米ソの核戦略は，それぞれの同盟国の戦略にも複雑な影響を与えている。第二次大戦後，東西の集団的安全保障体制が形成され，東西の同盟国はその安全保障を米ソの核抑止力に依存してきた。同盟国は集団安全保障による東西それぞれの協力関係を重視すれ

ばするほど，自国の独自性を放棄し，米ソそれぞれの世界戦略に協力することを余儀なくされた。米ソの圧倒的な核戦力のもとで，それぞれの同盟国はその主権の一部を放棄しているともいえる。

現在の核戦略の基本となっている思想は「抑止」である。核兵器は巨大な破壊力を持っており，その使用は人類の破滅に発展しかねない。したがって，核兵器の使用は絶対に避けなければならない。しかし，自国が核兵器を使用しなくても，敵から核の先制攻撃を受ける可能性は否定できない。そこで敵から核攻撃を受けた場合，敵に対して壊滅的な打撃を与える報復攻撃を行いうる態勢を整えることによって核戦争の発生を防止しようというのが「抑止」の思想である。

「抑止」とは，「相手が受け入れることのできないほどの有効な反撃が行われるという恐怖心を相手に起こさせ，その敵対行動を防ぐ措置」と説明されている。そして「抑止」を成立させるには，能力，コスト，意志の3条件が重要といわれている。すなわち，①敵に，われわれがその行動をとる能力があることを納得させ，②敵に，侵略によって得る利益よりも，そうした行動をとることによる損害（コスト）の方が大きいことを思い知らせ，さらに，③われわれが主張したとおりの行動をする意志をもっていることを知らしめること，の3条件である。

この「抑止」の思想に基づいた戦略を「核抑止戦略」と呼び，現代の核戦略の中心的思想となっている。核抑止戦略は，核超大国の核報復力の強大さを示すことで大規模戦争や核戦争の発生を抑止し，小型の戦術核兵器で局地的戦争の発生を抑止する戦略を

とっている。核抑止戦略は，こうした核兵器使用の脅威によって戦争を抑止するとともに，戦争が発生した場合，被害を最小限に食いとめるための危機管理政策をも包含している。なお，1970年代に入って米ソの核戦力が均衡してきたのに伴って，通常兵力による侵略の危険が生じ，この侵略に対抗するために，核兵器に依存せず通常兵力の増強によって抑止にあたる「通常兵力による抑止」の概念も論じられるようになった。

2　確証破壊から柔軟オプションへ

アメリカの核兵器の独占は比較的に短期間で終わった。ソ連は1949年8月に原爆実験に成功し，アメリカもこれに対抗して水爆（熱核兵器）と小型原爆（戦術核）の開発に着手して，米ソ両国は核軍備競争に入った。こうしたなかで最初に登場した核戦略が，アイゼンハワー政権のニュールック戦略であった。この戦略は戦略空軍を重視し，侵略に対しては「即座かつ大量に」核報復を行うというものであった。ダレス国務長官は54年1月，アメリカの戦略の基本を大量報復におくと宣言した。これは「大量報復」戦略と呼ばれ，その後のアメリカの核戦略の原型となった。

1950年代後半になると，ソ連はアメリカ本土を直接爆撃できる爆撃機を配備し，さらに中距離弾道ミサイル（IRBM）や大陸間弾道ミサイル（ICBM）の実験に成功，さらに57年10月には世界初の人工衛星スプートニク1号を打ち上げるなど，核ミサイル時代に入った。一方，アメリカの人工衛星計画バンガードは2

回にわたって打上げに失敗し，ソ連がミサイル技術で優位にたっているのではないかというミサイル・ギャップ論争が生まれた。

ソ連の核戦力の増強に伴って，核による大量報復能力はアメリカの独占物ではなくなり，米ソいずれの側が先制攻撃を仕かけても，相手側の核反撃を受けることを覚悟せざるを得なくなり，「恐怖の均衡」が認識され始めた。このため，核による大量報復のおどしで局地戦争を抑止できないと見られるにいたった。そこで，大量報復戦略を修正し，小型核兵器を開発して，限定的核戦争に備える態勢が重視されるようになった。これがニュー・ニュールック戦略と呼ばれたものである。

60年代に始まった柔軟反応戦略

1960年代に入って，米ソの核戦力が整備されてくると，大量報復戦略への批判が表面化した。核兵器は破壊力が強大で「使えない兵器」となっており，局地戦争に対処するには在来の兵器で装備した通常兵力を重視すべきだという主張である。1961年に登場したケネディ政権のマクナマラ国防長官は，全面核戦争から限定核戦争，通常兵力による局地戦争まで，予想されるすべての戦争に対処することを考え，柔軟反応戦略を提唱した。この戦略は，脅威の性質に応じて柔軟に対応する能力をもつことによって，あらゆる種類の戦争を抑止することをねらったものであった。

マクナマラ国防長官は，核戦略において敵の先制攻撃を受けても生き残れる非脆弱な核報復力を重視した。マクナマラは当初，敵の核戦力を攻撃する対兵力戦略を重視していたが，ソ連の核戦

力が非脆弱化するとの見通しに立ち，都市・工業地帯などソ連が国家として生存するために最重要な価値を攻撃する対都市（対価値ともいわれる）戦略の重視に転換した。この戦略では，ソ連の組織的な奇襲攻撃を受けても，生き残った核戦力で反撃し，相手が受け入れられないほどの損害を与える能力をもてば，ソ連の侵略を抑止できると考えた。この戦略は確証破壊戦略（AD）と呼ばれ，1960年代以降のアメリカの核戦略の基礎となった。

　一方，ソ連の核戦略はアメリカのように明白な核抑止論を打ちだしていないが，ほぼアメリカの核戦略を追っているとみられている。ソ連も，アメリカの核攻撃に対して反撃し，アメリカが受け入れられないほどの報復を行える，非脆弱な核戦力の保持を求めていると考えられる。ソ連は1949年8月に最初の原爆実験，つづいて53年8月に水爆実験，57年8月には世界最初の大陸間弾道ミサイル（ICBM）の実験を行い，さらに59年12月には戦略ロケット軍を創設した。

　ソ連は，フルシチョフ時代の60年代初頭には核ロケット第一主義をとっていたが，1964年10月，フルシチョフ失脚のあと登場したブレジネフ書記長は通常軍備を重視する姿勢に変わった。これは，61年に登場したアメリカのケネディ政権が，柔軟反応戦略の名称のもとに通常兵力を重視したのに対応した措置とみられた。しかし，ソ連は通常兵力とともに核戦力についても一貫して増強をつづけ，米国防報告などによれば，60年代末にはICBM数でアメリカを追い抜き，潜水艦塔載核ミサイル（SLBM）でもアメリカに迫るようになり，70年代初頭には，米ソ間の戦略

核戦力は実質的に均衡したとみられている。このような状況のもとでは、米ソのいずれの側が相手に対して先制攻撃をかけても、相手の核戦力を壊滅させることはできないので、報復攻撃によって耐えがたい損害を受けると考えられた。70年代初頭に成立したこのような状況は相互確証破壊（MAD）と呼ばれている。

確証破壊戦略の修正

アメリカでは確証破壊戦略に対する批判が早くからでていた。この戦略のもとでは、米ソ双方が都市・工業地帯を相手の核攻撃に対して脆弱にしておくことが核抑止を安定させることになるが、こうした戦略は現実的でないとの批判や、一般市民の大量殺戮を基礎とした戦略は人道的でない、などというものであった。そして、米ソの核戦力が均衡してくるのに伴って、こうした批判が現実的な問題となり、1970年代以降、確証破壊戦略の修正が行われた。

確証破壊戦略の修正に着手したのは、1968年11月に登場したニクソン政権であった。ニクソン政権は、ニクソン・ドクトリンによってベトナム戦争からの離脱を図るとともに、対ソ核戦力の均衡を重視して十分性戦略を提唱した。この戦略のもとでは、ソ連の都市・工業地帯に対する攻撃能力では十分でないとされ、軍事目標攻撃の能力をも考慮にいれられた。さらに、ニクソン政権末期に国防長官となったシュレジンジャーは、戦略核攻撃の目標原則の修正に着手し、都市・工業地帯だけでなく、多種類の軍事施設をも攻撃目標に組み入れた。なかでも、堅固に防衛されてい

る核ミサイルのサイロ，指揮・管制施設などの攻撃を重視した。

　この政策は1977年1月に登場したカーター政権にも引き継がれ，戦略核攻撃の目標は核ミサイル，レーダー，潜水艦などの軍事施設，指揮・管制中枢，核貯蔵施設にまで広げられた。同政権のブラウン国防長官は，ソ連の核戦力がミサイル数や破壊威力総計などで優位にあることを指摘して，「ソ連の享受している戦力特質のどのような面も，アメリカが持つ他の有利な面で相殺することが必要だ」と述べた。ブラウンの提唱した戦略は相殺戦略と呼ばれている。さらにカーター大統領は1980年7月，核攻撃目標として指揮・管制施設や核基地などの軍事目標を重視することを命令する大統領指令59号 (PD 59) に署名し，相殺戦略の実施を確認した。

　ニクソン政権の十分性戦略に始まり，シュレジンジャーの目標原則の修正，ブラウンの相殺戦略まで一貫しているアメリカの核戦略の思想は，ソ連の核戦力の増強に対抗して，小規模・限定的な核攻撃から大規模な核応酬に至るまで，予想されるすべての核攻撃に対応できる選択肢を持ち，それによって抑止を強化することである。こうした戦略理論は柔軟オプションと呼ばれ，核兵器の技術進歩にも対応したものであった。1966年以降の核ミサイルの多核弾頭化（MIRV 化といわれる）や，誘導装置の改善による目標攻撃の命中精度の向上などが，軍事目標に対して正確な攻撃を行うことを可能にしたといえよう。

3 軍縮から軍備管理へ

核兵器の桁はずれの破壊力が認識されてくるのに伴って，その規制や廃棄を求める国際世論が高まったのは当然のことであった。第二次大戦後の重要な外交交渉は一貫して軍備管理・軍縮問題であったが，なかでも核兵器をいかに規制するかが最大の焦点であった。戦後に締結された軍備管理・軍縮をめぐる条約・協定は約20件にのぼるが，そのなかには部分的核実験禁止条約(1963年)，核拡散防止条約（1968年），弾道弾迎撃ミサイル（ABM）制限条約などを含む第一次戦略兵器制限交渉（SALT I）や，これにつづく第二次戦略兵器制限交渉（SALT II）などの重要な交渉がある。これらの交渉では核兵器の削減には成功しなかったが，核兵器の規制にはある程度の成果をあげた。

原子力管理の超国家機関を

1946年1月，国連総会は原子力委員会設置を決議した。同委員会設置の目的は，原子力の管理と原子力兵器などの大量破壊兵器の廃棄を検討することであった。米国務省は同年3月，リリエンソール報告を発表，アメリカによる原爆の独占は不可能との見方にたって，超国家的な原子力開発機関を創設し，原子力関係の一切の鉱山・工場を所有・運営させることを考えた。原子力委員会第1回会議は46年6月に開かれたが，バルーク米代表はリリエンソール構想に基づいた国際原子力開発機関の創設を提案した。

これに対してソ連は，独自の原子力平和利用が妨害されること，原子力原料調査の名目で各国への立入り調査が行われることなどを理由に反対した。

1946年12月，国連総会は「軍備の規制，縮小に関する決議」を採択，原子力兵器などの大量破壊兵器の軍備を禁止し，原子力の平和利用を保証するための国際管理の早期確立を申し合わせた。その後，47年3月にはトルーマン・ドクトリンが発表されるなど，東西の冷戦が激化，49年8月にはソ連が原爆実験に成功，さらに翌50年6月には朝鮮戦争が始まり，国連での軍縮交渉は一時期すべて中断された。つづいて53年8月にはソ連が水爆実験に成功し，アメリカも翌54年3月に成功して米ソ両国の水爆保有時代が始まり，アメリカの独占的な核戦略態勢は次第に崩れていった。

1950年代半ばになると，米ソとも弾道ミサイルを開発してその生産・配備を始め，核の手詰まりといわれる時代に入った。このころから東西交渉の焦点は，「副次的措置」といわれる軍備管理交渉に移った。それまでの交渉は，原子力の国際管理や核兵器の禁止，さらに軍備縮小が中心であったが，いずれも合意に達しなかった。その一方で，米ソ両国は水爆実験に成功し，核兵器の貯蔵量をふやしていった。さらに，運搬手段としての大陸間弾道ミサイルが急速に発達した。こうした核戦力の発展・増強のもとで，核戦力の削減・縮小を交渉しても意味がないとの見方が強まり，戦争が発生する可能性を少なくし，戦争が起こってもその破壊をできるだけ限定することに関心が向かったのは当然の成行き

であった。軍備管理とは，軍備の縮小・削減を求める軍縮とは異なり，軍備の水準，性格，展開，行使などを規制することによって戦争発生の可能性を減らし，発生したとしてもその被害を限定することを重点とした政策といえよう。

焦点になった核拡散の防止

1954年から56年にかけて，核実験禁止問題が軍縮交渉の主題となった。水爆実験による放射性降下物の被害が明らかになり，特に54年3月，日本漁船第五福竜丸の乗組員がビキニ環礁で受けた放射能被害は，死の灰の恐しさを世界に印象づけた。1957年3月からロンドンで開かれた軍縮小委員会は，核実験停止を最重要問題として取りあげた。また，1962年10月のキューバ・ミサイル危機は，米ソに核戦争の危険性を認識させ，両国は秘密交渉をつづけたのち63年8月5日，部分的核実験禁止条約に調印した。この条約は大気圏，宇宙空間，水中での核実験を禁止したもので，「放射性降下物をふやさない」という点での効果はあったが，地下核実験は禁止していないので，核兵器の開発自体を規制するものではなかった。

この条約は1963年10月，米・英・ソ3国が批准書を寄託して発効した。署名国は日本，西ドイツなど計108カ国にのぼった。条約署名国は地下核実験を合法的に行えるのだから核保有国になることができないというわけではない。しかし，核保有国はいずれもその初期には大気圏内で核実験を行っている。初めから地下核実験をする国が出ないという保証はないにせよ，新しく核兵器

を開発しようとする国はこの条約から脱退する必要があると考えられよう。その意味でこの条約は，核兵器の拡散防止の効果をあげることはできた。したがって，当時，核保有を決意していたフランス，中国が加盟しなかったのは当然であった。

　米ソ両国は軍備管理交渉を通じて，共通の利益を形成することもできる。1964 年 1 月，18 カ国軍縮委員会が開かれた際，米・英・ソ 3 国はそれぞれの立場で軍縮構想を提案した。この 3 国提案に共通していたのは，「核兵器拡散防止」問題であった。米・ソ・英 3 国につづいて，フランスが 1960 年 2 月に原爆実験に成功し，また中国の核実験も近づいていること（第 1 回実験は 1964 年 10 月 16 日）が米ソ両国を真剣にさせた。ところが 65 年 2 月，アメリカのベトナム参戦，北爆開始などで，同年 3 月に開始予定だった 18 カ国軍縮委員会がソ連の反対で延期されるなどの問題が発生した。そこで，これに代わって国連全加盟国参加の軍縮委員会が開かれ，つづいて 65 年 7 月には 18 カ国軍縮委員会が再開された。この席上，米ソ双方から核拡散防止条約草案が提出され，討議はようやく軌道にのった。

　核拡散防止条約は，米ソ間での意見の対立のほか，米・英・ソの核保有国と非核保有国との意見の対立をも表面化させた。米ソ間では，アメリカが北大西洋条約機構（NATO）の多角的核戦力（MLF）に西ドイツを参加させようとしたのに対してソ連が強く反対して難航した。また非核保有国は，核保有国の核削減の義務が十分に規定されていないこと，非核保有国の安全保障に対する配慮が十分でないことなどを問題とした。

核拡散防止条約（NPT）は67年1月になって急展開した。ソ連は西ドイツがNATOの核計画に参加することを認め，また非核保有国の意見を取り入れるなどして，68年3月，米ソ両国は第三次草案を提出した。非核保有国に対する安全保障については，米・英・ソ3国が共同決議を提案し，これを国連安保理事会が採択して，同年7月，核拡散防止条約が調印された。同条約では，核保有国は核兵器をいかなるものにも移譲しないこと（第1条），非核保有国は核兵器をいかなるものからも受領しないこと（第2条）を定めたほか，核保有国は核軍備について「全面的かつ完全な軍備縮小に関する条約について，誠実に交渉を行うことを約束する」（第6条）としたのである。

4　SALT・START・SDI

　米ソ間の戦略核ミサイルを制限する交渉をしようという考えは，1964年の初めからあった。当時のジョンソン米大統領が，増大していく戦略核兵器に不安を感じて現状凍結案をだし，一方，ソ連側が，ミサイルを一定数まで削減する案を提出したこともある。
　戦略兵器制限をめぐる交渉は3つの時期に大別される。第1期はジョンソン政権下で5年間にわたって交渉の準備をした時期であり，第2期はニクソン，フォード，カーターの3政権が12年余りにわたって第一次戦略兵器制限交渉（SALT I），同第2次交渉（SALT II）を行った時期である。第3期は，1981年にレーガン政権が登場してから戦略兵器削減交渉（START）と名

称をかえ，削減をめぐる交渉を行った時期である。

ジョンソン大統領は 1964 年 1 月，18 カ国軍縮委員会の席上，攻撃・防御の戦略兵器の凍結を提案したが，ソ連は直ちにこれを拒否した。当時のソ連は大陸間核ミサイル（ICBM），潜水艦発射核ミサイル（SLBM）がアメリカに比べてはるかに劣勢であり，この交渉によってその劣勢が固定化されるのを懸念したのである。一方，アメリカでは 60 年代半ばから，ソ連が弾道ミサイル迎撃システム（ABM）の開発・配備に取り組んでいるとの見方が強まり，交渉が必要であるとの認識を強めた。さらに核拡散防止条約が調印されたのち，各国は米ソ両国の核軍縮を求める提案をし，18 カ国軍縮委員会は「核軍備競争の早期停止と核軍縮の効果的措置」を最優先議題として採択した。

安定に重要な ABM 制限条約

こうした情勢のもとで，米ソの第一次戦略兵器制限交渉は 1969 年 11 月からヘルシンキで始まった。ソ連がこの時期になって交渉に応じたのは，戦略兵器の対米均衡を達成した自信からとみられる。ここに，部分核実験禁止条約，核拡散防止条約につづいて，米ソ両国の戦略核兵器を実質的に制限する交渉が始まった。

SALT I は 1972 年 5 月に妥結，調印された。その中心は，弾道弾迎撃ミサイル（ABM）制限条約と，戦略攻撃兵器制限暫定協定であった。ABM 制限条約は，ABM 配備を各 2 基地，1 基地あたり百発射器（のちに 1 基地，百発射器に改定）に制限し，海上，空中，宇宙配備の ABM については開発，実験，配備を禁

止するというものであった。また，戦略攻撃兵器については，米ソが調印当時保有していた ICBM，SLBM 以上に増強しないことを骨子とした。

SALT I では，ABM 制限条約が核戦略上，重要な意味を持っている。米ソ両国は ABM 配備を制限することによって，相互にその国民を相手の核攻撃に対して脆弱な状況におくことを確認したといえる。つまり，核抑止を安定させるためには，相手の先制攻撃を受けても生き残った核戦力で報復攻撃を行い，相手を確実に破壊できる状況——相互確証破壊——を成立させることが望ましいと考える。そうなれば先制攻撃を行うメリットはない。ABM 制限条約は，この状況を確認したものである。

米ソ両国は SALT I の合意に引き続き，1972 年 8 月から戦略兵器の質的制限を目指す SALT II に取り組んだ。しかし，この交渉を推進したニクソン米大統領はウォーターゲート事件で指導力を失い，74 年 8 月に辞任，フォード大統領がその後を継ぎ，77 年 1 月からはカーター大統領に代わった。70 年代後半になると，SALT II を停滞させるいくつかの原因が生まれた。

第 1 は，戦略核兵器技術の急速な進展である。複数・個別誘導弾頭 (MIRV) の技術が急速に進んだほか，核兵器の小型化，機動性の向上など，査察をむずかしくする条件が生まれたのである。第 2 に，ソ連は SALT I 以降，核戦力の近代化を急速に進め，攻撃の正確性が向上し弾頭数も飛躍的に増大した。このためアメリカ側に，アメリカの ICBM が脆弱化しているのではないかとの懸念が生まれた。第 3 に，アメリカ国内で米ソ関係についての

疑問が生じた。米ソ関係がデタント（緊張緩和）へと動いている間隙をついて，ソ連は 75 年ごろからアフリカ大陸のアンゴラ，ソマリアなどへ進出し勢力を伸ばした。このためアメリカは，ソ連のデタントに対する真意に疑問をもちはじめたのである。

こうしたなかで米ソ両国は 1979 年 6 月，SALT II 条約に調印した。その中心は，①米ソの戦略核運搬手段の上限を 2400 基とし，1981 年から 2250 基に削減する，②MIRV 弾頭を装着している ICBM，SLBM，長距離巡航ミサイル塔載戦略爆撃機の合計数を 1320 とし，MIRV 装着の ICBM，SLBM をさらに制限する，などであった。SALT II は MIRV など，戦略核兵器の質的規制へ向けて一歩踏みこんだものであった。

しかしながら，アメリカ国内では SALT II について「重大な欠陥がある」との批判がでており，それは 79 年 12 月のソ連軍のアフガニスタン侵攻によってその批判は決定的となり，上院の批准を得ることができず，条約として発効しないままに終わった。しかし米ソ両国とも，SALT II 条約の精神に違反する行為はしないことを表明した。

1981 年 1 月に登場したレーガン政権の軍備管理政策は従来の政権とはかなり性格を異にしている。レーガン大統領は SALT II 条約を「致命的な欠陥がある」と非難し，アメリカの核戦力を強化して「力の立場」から対ソ交渉にあたる姿勢を明確にした。レーガン政権は同年 10 月，戦略核戦力近代化計画を発表して，新型ミサイル (MX)，トライデント・ミサイル計画，戦略爆撃機 B1，巡航ミサイルなどの調達を決定，さらにアメリカの核戦

力は限定的核戦争にも長期的核戦争にも対応できるものでなければならないとした。

　レーガン大統領は 1982 年 5 月，ソ連に対して，それまでの戦略兵器制限交渉（SALT）から戦略兵器削減交渉（START）への転換を求める提案をした。この提案は，第 1 段階で米ソ双方の弾道ミサイル，弾頭数を削減し，第 2 段階で，ソ連の優勢な投射重量をアメリカの水準以下とすることを求めるものであった。これまでの米ソ交渉では，戦略核兵器の管理に重点をおき，数量的には現在の水準以上にふやさないため，上限を設けるという性格が強かったが，レーガン大統領の提案は，米ソの核戦力の水準を文字通り削減することをねらったものであった。レーガン大統領の主張の背景には，ソ連の方が数量的に多いのだから，アメリカの水準に近づけるためにソ連側がまず削減せよというソ連に対する強い姿勢があった。

　米ソ間の START は 1982 年 6 月から始まった。しかしこの交渉は，はかばかしい進展をみないうちに，83 年末，アメリカがイギリス，西ドイツなどへ中距離核戦力の配備を始めたのをきっかけに中断されてしまった。

戦略論争を巻き起こした SDI

　レーガン大統領は 1983 年 3 月 12 日，戦略防衛構想（SDI）を発表して，宇宙空間に弾道ミサイル防御網をつくりあげ「核兵器を無力化し，時代遅れとする」ことを呼びかけた。レーガン大統領は，戦略攻撃兵器に依存する「相互確証破壊」といわれる世界

から脱却して，防御兵器中心の「相互確証生存」の世界へ移行しようというのである。

　SDIについて，ソ連は，宇宙における軍拡競争を激化するものと厳しく非難したが，西側諸国をも賛成と反対に二分する戦略論争を巻き起こした。反対派は，予見しうる将来，SDIによって完全な弾道ミサイル防御は不可能であるとし，不完全な防御は攻撃兵器の増強を引き起こし，却って危険だと主張した。一方，賛成派は，一般市民への大量報復を基礎にした「相互確証破壊」は倫理的にも戦略的にも無責任な政策であり，たとえ不完全な防御でも抑止と安定に寄与できると主張した。また，反対派は，SDIは米ソ間の軍備管理・軍縮交渉の基礎となっているABM制限条約を崩壊させ，核軍備競争を激化させると主張し，一方，賛成派は，SDIは軍備管理交渉でソ連の譲歩を引きだす取引材料になると主張した。

　SDIは，反対派が主張するように，技術的な実現可能性はもとより，軍拡競争を激化させる危険性があることは否定できない。SDIは確かに多くの問題をはらんでいるが，しかし，核報復力による一般市民の大量殺戮に基礎をおいた「相互確証破壊」の現状を放置しておいてよいというわけにはいくまい。SDIは現代の核抑止論の矛盾をわれわれに問いかけているように思われる。

　レーガン大統領とゴルバチョフ書記長は1987年12月，ワシントンで首脳会談を開き，中距離核戦力（INF）を廃止する条約に調印した。米ソ両国が現存する核兵器の廃棄に合意したのは，これが初めてである。廃棄される核兵器は，射程が1000キロメー

トル以上 5000 キロメートル以下の長射程 INF，射程が 500 キロ
メートル以上 1000 キロメートル以下の短射程 INF で，米ソ合計
で核弾頭数約 2000 発となるが，それは米ソ両国が現有している
核弾頭約六万発の 3% 程度に過ぎない。

　INF については，ソ連が 1977 年に複数弾頭 3 発を装着した機
動型の SS 20 ミサイルの配備を開始し，これに対抗して NATO
（北大西洋条約機構）も 1979 年 12 月，アメリカのパーシング II
型ミサイル，地上発射巡航ミサイル（CLCM）の配備を決定して
軍拡競争が続いていた。しかし，レーガン政権登場後の 1981 年
11 月から米ソで制限交渉が始まり，交渉の中断を挟みながら，
6 年を経てようやく妥結にこぎつけた。

　とはいうものの，INF は米ソ核戦力の一分野に過ぎず，戦略
核や戦術核などは手つかずのままである。しかし，一分野である
にせよ，米ソが廃棄に合意した背景には，核軍拡が過剰殺戮とい
われるほど危険な水準に達していることや，核軍縮を求める世界
の世論を無視できなくなったことなどがある。だが，同時に，
INF 交渉に 6 年をかけているうちに，戦略核戦力や戦術核戦力
の増強・近代化が進み，SDI に見られるように軍核競争が宇宙に
まで広がったことも見落としてはなるまい。

5　第三世界紛争の激化

　1980 年代に入って，第三世界を中心とする地域的武力紛争が
多発化する傾向をみせている。中東ではイスラエルとアラブ諸国

の紛争解決が手詰まりとなっているのに加え，1984年に入ってからは，レバノンで過激派イスラム教徒のテロが多発して流血がつづいた。また，1980年9月に始まったイラン・イラク戦争はペルシア湾での第三国のタンカー攻撃にまで発展した。

アメリカの民間軍事問題研究機関の調査によると，1985年現在での地域紛争の発生件数は40件にのぼっている。この件数は現実に発生した紛争とともに，潜在的紛争をも加えているが，この状況は現在でも基本的に変化していない。40件を地域別にみると，アジア10件，中東10件，アフリカ10件，中南米7件，欧州3件となっている。このうち欧州の3件は，イタリアにおける左右両派のテロ，北アイルランド紛争，スペインのバスク地方の分離独立をめぐる紛争である。しかし，この3つの紛争のゲリラないし過激運動への参加者はいずれも数百人の規模であって，第三世界における武力紛争とは比較にならない低い水準である。

40件の地域紛争

この40件の紛争のうち，正規軍を投入した通常戦争は5件（イラン・イラク戦争，南北イエメン紛争，エチオピア・ソマリア紛争，朝鮮半島の紛争，中越紛争）であり，他の35件はゲリラ戦争または内戦となっている。このうち，イラン・イラク戦争を除いて戦火は鎮静化しているが，一方ではソ連が1979年12月にアフガニスタンへ侵攻したのをはじめ，80年12月のリビア軍のチャド内戦への介入，82年6月のイスラエル軍のレバノン侵攻とそれにつづくレバノン内戦の激化など，戦火が高まったも

のもある。さらに，人種差別政策をつづける南アフリカ政府に対して，黒人解放機関の南西アフリカ人民機構（SWAPO）の攻撃が活発化し，南アフリカ軍との戦いが激化している。一般的に言えば，ゲリラ戦ないし内戦であっても使用兵器が高級化しているので，流血と破壊の範囲はエスカレートする傾向にある。

40件の紛争を原因別にみると，通常戦争の5件はいずれも領土をめぐる対立が主原因で，ゲリラ戦ないし内戦の30件のうち，革命を求めるもの23件，分離・独立を求めるもの6件，分離・独立と革命を求めるもの6件となっている。しかし，紛争の原因は複雑で，1つだけではなく，宗教，人種，経済的貧困，イデオロギーなど，各種の要素がからみあっている。40件のうち，宗教的要因がみられるものは14件にのぼっている。このうち，キリスト教のプロテスタントとカトリックの対立に起因する北アイルランド紛争を除くと，他の13件はいずれもイスラム教が関係している。種族的対立要因がみられるものは16件で，中東地域，アフリカ大陸の紛争のほとんどは種族的対立がからんでいる。また，経済的要因はほとんどの紛争にみられるが，特に中南米諸国の紛争の大きな原因となっている。

政治・イデオロギー的要因もほとんどの紛争にみられる。共産主義対反共主義の対立がみられるもの3件（南北朝鮮，南北イエメン，エチオピア対ソマリア），反共政府対共産ゲリラの対立4件（フィリピン，タイ，ビルマ，マレーシア），共産主義政府対反共ゲリラの対立3件（アンゴラ，モザンビーク，アフガニスタン），共産主義者同士の対立3件（中越，カンボジア，ラオス）などである。

第三世界に内在する紛争原因

　ではなぜ，第三世界で紛争が多発するのか。第三世界に内在する諸問題に原因があることは疑い得ない。ドイツ東方研究所長のウド・スタインバックは，「第三世界の紛争は，その地域が直面している文化，社会，経済，政治の諸要因から生まれるので，一般化するのはむずかしい」としながらも，その原因について，国民の細分化，不均等発展，文化的衝突，民族解放運動の4つの視点から説明している。

　第1の原因は「国民の細分化」である。すなわち，第三世界の国々は，旧宗主国や少数のエリートが国家をつくったため，領土，人種，宗教，地理，文化，歴史などの伝統が無視された。このため，第二次大戦後に生まれた新しい国家は少数民族問題をかかえこんだ。

　第2の原因は「不均等発展」である。第三世界の大部分の国では経済発展が遅れ，国民の経済的要求を満たしていない。このため，経済発展のための工業化と社会的公正の実現とを同時に追求していかなければならないが，工業化の推進に伴って社会的不公正が生じ，国内の権力闘争やイデオロギー闘争が激化した。

　第3の原因は「文化的衝突」である。近代化の過程で先進工業国の文化，経済的合理性などが導入されるが，そうした輸入文化と伝統的文化の衝突が生じる。ホメイニ師のもとでのイラン革命はこうした「文化的衝突」の結果として生まれた。

　第4は「民族解放運動」である。民族解放運動は植民地時代につくられた支配機構を廃止し，独立を獲得しようという運動だが，

上記の3つの要因を背景にもっている。

スタインバックは，第三世界の紛争は1つの原因だけでなく，多くの原因が関連して生じるとの見方をしている。例えば，イランのイスラム革命は社会的・政治的要因から発生したが，イスラム教の宗教的要因が加わったのちに，シャー打倒の大衆運動に発展した。また宗教や人種的原因による紛争も，その背景には社会的発展の不均衡があったとみている。

6　新しい脅威に備えて

世界の戦争と平和をめぐる問題は，1980年代後半に入って構造的ともいえる変化の兆をみせている。東西関係では，対立の要因は減少していないにもかかわらず，米ソ間の核軍備管理交渉にみられるように，交渉による解決を求めるのが世界の潮流となってきている。その一方で，宇宙における軍備競争の激化や，テロなどという新しい脅威にどう対処するのかなど，平和に対する新しい挑戦に直面している。

米ソ両国を頂点とする東西の対立関係は解消したわけではない。中東やアフガニスタン，中米，アフリカなどの地域紛争をめぐって東西は対立しているし，人権問題や軍備管理・軍縮政策をめぐっても厳しい対立がつづいている。しかし1985年初めから，米ソ両国はジュネーブで核軍備をめぐって包括的交渉の席についた。レーガン，ゴルバチョフの米ソ両首脳は85年11月にまずジュネーブで，つづいて86年10月にはレイキャビクで首脳会

議を重ねた。

　米ソ両首脳の軍備管理・軍縮に関する構想は驚くほど似通って
いる。両者とも核兵器の大幅削減，さらに最終的廃絶という目標
をかかげている。両者は 1985 年 11 月のジュネーブ会議では戦略
核兵器の 50%削減を主張し，86 年 10 月のレイキャビク会議でも
1986 年までに弾道ミサイルの全廃を主張しながら，戦略防衛構
想（SDI）をめぐる対立が障害となって合意が成立しなかった。

　米ソ両首脳とも，核兵器の廃絶が至難であることは十分に認識
しているはずである。第二次大戦後の世界の平和が，核兵器によ
る抑止と深い関係にあることは明らかだからである。また，アメ
リカは SDI によって攻撃的核兵器を廃絶し，防御中心に移行す
ることを求め，一方のソ連は，それを宇宙の軍事化と非難してこ
の計画の廃棄を求めている。SDI について意見の一致をみないで，
核兵器の廃絶に合意できるとも考えられない。しかしながら米ソ
両首脳とも，核兵器が過剰殺戮といわれるほどに増強された現状
においては，核兵器の廃絶を主張することが必要であり，またそ
れが国際世論にアピールすることを十分に知っている。

　問題は，核兵器をめぐる軍備管理・軍縮交渉と戦略との関係を
どのように考えるかということであろう。米ソ間で欧州における
中距離核戦力（INF）の廃棄に合意したことは，核抑止に依存し
てきた西欧諸国の不安感を高めた。今後の核兵器削減にあたって
は，戦略との関係を十分に問うべきであろう。

　レーガン大統領が SDI 構想を発表して以来，宇宙の軍事利用
をめぐる問題が米ソ間の軍拡競争の焦点となっている。米ソ両国

は偵察，通信，航法，気象などの各種の衛星を打ち上げて，宇宙を軍事的に利用してきた。しかし，こうした衛星がすべて軍拡競争をあおっているわけではなく，むしろ奇襲防止や査察などの平和の維持に貢献している場合もある。

　今後，宇宙技術は絶え間なく発展していくことが予想される。軍事衛星を破壊する衛星攻撃兵器（ASAT）や，SDIにみられるような弾道ミサイル防衛のための技術開発は今後もつづくだろうし，だれもこれを阻止できないだろう。こうした軍事技術の発展を野放しにしておくのか，あるいは規制していくのか，規制するとすればどのようにして行うのかなどは，今後の深刻な問題となろう。

　さらに安全保障上，最近深刻になった問題として，アメリカが「低い水準の戦争」と呼ぶ反乱，政府転覆，テロなどにどう対応するのかということがある。第二次世界大戦後に植民地から独立した第三世界の諸国は，政治的，経済的，社会的にさまざまな問題をかかえている。第三世界の国々にみられる指導層の腐敗，貧富の格差，社会的不公正などは国内に過激派をつくりやすいし，外部の支援勢力と結びつかせる。不満をもった民衆が政府に対する反乱を起こしたり，軍部がクーデタによって政府の転覆を図ったりするケースがふえている。そして，米ソ両大国はそれぞれの立場から，こうした政府転覆の後盾となってきた。

　80年代半ば以降深刻になっているのは，テロリズムの問題である。少数民族や民族主義者によるテロ，思想的・宗教的な理由によるテロなどに加えて，国家テロの問題が深刻化している。イ

ランの米外交官人質事件や，パレスチナ人やシーア派勢力のテロに対する中東諸国の支援などは，国家テロに対する懸念を強めさせた。レーガン大統領は 1985 年 7 月，国家テロに荷担している国としてキューバ，ニカラグア，リビア，イラン，北朝鮮（朝鮮民主主義人民共和国）などをあげ，「ソ連はこれらのテロリスト国家のほぼすべてと緊密な関係にある」と非難した。国際的なテロは今後もつづくと予想される。

　こうした「低い水準の戦争」の脅威は，核戦争や通常戦争の脅威とは異なって，政治的，経済的，社会的な要因と軍事的要因が混在したものといえる。したがって，この脅威に対抗するためには，政治や経済，社会などを含めた包括的対策が必要となる。今後の安全保障には軍事力だけでなく，こうした包括的な視点が重要である。

　第二次大戦後，対立をつづけてきた米ソ両核超大国は 1985 年以来，核軍備管理・軍縮をめぐって真剣な交渉を行ってきている。米ソ両核超大国が相互に相手を壊滅させるに十分な核戦力をもっている現在，その対立関係を軍事的手段で解決できないことは明らかであると思われる。

〔参考文献〕
高坂正堯・桃井真編『多極化時代の戦略』上下，日本国際問題研究
　　所，1973 年
久住忠男『核戦略入門』原書房，1983 年
阪中友久「核戦略」（平凡社『大百科事典』）
同「現代世界の紛争の構図」（『戦争・革命・反乱』自由国民社，

1985 年)

IISS, *Strategic Survey 1984-85, 1985-86, 1986-87* の各版

IISS, *Third-world Conflict and International Security*, Part 1, 2, 1981.

American Defense Policy, 5th Edition, The Johns Hopkins University Press, 1983.

Stanford Arms Control Group, *International Arms Control*, Stanford University Press, 1984.

Lawrence Freedman, *The Evolution of Nuclear Strategy*, MacMillan Press Ltd., 1981.

経済摩擦の世界的構造

1　世界経済の国際的相互依存性

激変した世界経済と相互依存

国際貿易，国際投資，国際金融取引などの増大は，近年，きわめて著しく，生産要素，マネジメント，技術，金融資本などが国境を越えて頻繁に移動するようになった。そして，世界各国に蓄積された財や資金などのストックはかつてなく増大し，各国経済の国際化を進めた。この国際化の進展は，近年における生産量の増加率が年間 4% 平均であったのに対し，貿易量が約 8%，多国籍企業関係の生産量がほぼ 10% の増加率を示していることからもよく理解される。

世界経済全体では，財・サービス貿易の総額は年間約 3 兆ドルであり，ユーロダラー市場取引は年間約 75 兆ドル，外国為替取引も年間約 35 兆ドルにのぼる。こうして，各国経済は世界経済から決定的な影響を受けるようになった。

世界地図を広げると，各国家間の境界を示す国境は実線で描か
れ，国別に色分けされている。すなわち，この実線の範囲内が国
家主権の及ぶ領域で，政治的独立を示すものである。

　しかし，世界政治と世界経済の実態を反映する地図を描くとす
れば，諸国家間の政治的・経済的相互依存関係を示す点線で置き
換えることができる。この点線の点と点との間隔が広ければ広い
ほど，国家間の相互依存性が強いことを意味する。そして，その
点と点との間隔は今日，ますます広くなっている。その先駆的好
例は，ヨーロッパ共同体＝ECが，ヨーロッパ議会の議決規定で
多数決制をとり，主権を制限することに同意したことである。し
かし，多くの発展途上国などでは，民族主義思想を強化する必要
から，相互協力は相違した形をとっている。

　そして，世界全体としては，各独立国家の相互依存関係は政治
的にも経済的にもますます深化し，現実の国家にとって，政治的
独立とは，相互依存と比較して，まったく抽象的存在であり，こ
の事実の認識が各国の政策決定に極めて重要な意味を与えるよう
になった。さらに多国籍企業の出現により，世界中に及ぶ企業活
動の展開が，国境を越えた利害関係を創出し，さらには労働組合
や消費者運動までも国際的活動に基本的重要性を認識するように
なった。

　こうして，国家や多国籍企業などの行動の場は世界経済である
が，世界国家あるいは世界連邦の存在しない今日，世界には中央
意思決定機関が存在しない。そのうえ，各国市場は，程度の差こ
そあれ別単位になっている。すなわち，通貨が相違し，財政金融

政策が相違し，社会保障政策が相違し，また企業の行動様式や労働組合制度も相違する。さらには，各国国民の用いる言語や習慣，特性，嗜好，社会思潮，宗教などもしばしば相違する。

こうした多様性に富んだ世界における国際化の進展は，それぞれの国家あるいは多国籍企業の行動目的や行動原理，そして組織の型も相違するため，新しい相互依存関係を不断に創出し，そこでの利害関係の衝突もますます増大しつつある。

したがって，この新しい相互依存関係を円滑に維持し，世界経済の発展を求めるためには，各国が相互依存関係のなかで独立性を限定されること，すなわち政策協調の必要性が明確に認識されねばならない。しかもこの相互依存関係は，常に均衡のとれたものでなく非対称的なものなのである。

相互依存性が相対的に小さい自給自足的な諸国，例えば，アメリカ，ソ連，中国のような大国は，特に相互依存性の大きな諸国，言い換えれば，貿易依存度の高い諸国に対して，強い交渉力によって大きな影響を与えることができる。

しかし，多くの場合，極端に一方的な依存性は少なく，純粋の依存性（自由開放経済）と純粋の独立性（自給自足的鎖国経済）との中間に現実の世界は位置づけられ，そこに相互依存関係と政策協調の政治的交渉の意義，さらには構造調整の展開がみられることになる。

そこでまず考えられるのが共通の利益と損失であり，つぎに取り上げられるのが，相対的な利益の配分である。前者が比較優位ないしは国際競争力の問題であり，結局のところ貿易によって利

益が損失を上回るとするものである。後者は，貿易利益の配分（交易条件）あるいは通商政策ないしは保護貿易の問題である。

相互依存の進展と国内政策

しかし，国家間の相互依存性が増大し，国内政策と対外政策が複雑に絡み合うようになると，不満をもつ国内グループは経済問題を政治化し，国内問題をも国際化する。すなわち，議会における論議の対象としたり，特定案件に対する賛否に関して議員の選挙区での当選や再選に必要な投票数を左右する政治運動によって圧力をかけたりする。

これは特に，輸入制限などの保護貿易主義運動に典型的に現れる。こうして，議会は経済問題の国際政治化に有効な手段となるため，各国議会の出す政策結論に共通性が必要とされるようになる。しかし，各国議会は国内政治を優先させる傾向が強く，各国内あるいは特定選挙区あるいは衰退産業など特定企業グループの立場から導き出されたそれぞれ相違する政策結論を調整せねばならない。それは，基本的には相互支持的な形で各国の国家目的と政策手段とを互いに共存させるよう計画し，交渉するものである。

しかし，こうした交渉や調整に失敗すると，一方的貿易制限や為替調整などが行われ，自国にとっては利益であっても，他国に対しては損害を与える国内政策がとられることになる。

こうして，相互依存性が増大することは，各国内政治グループの間に感応性を高める。感応性とは，政策体系内における反応の程度であり，相互作用によって形成され，状況を政策が変革する

以前に外国から課せられた負担を意味する。すなわち，労働組合や地域団体の指導者は，自国の多国籍企業などの対外投資増大や輸入増加が深刻な失業を創出することを恐れる。そして，輸入圧力に脅威を感じるグループは政府に保護貿易を求める。

皮肉にも，国際化と国際的相互依存性の増大が経済摩擦や保護主義運動を高めるのである。国際コミュニケーション技術の発展や，大規模な生産・販売組織をもつ多国籍企業の出現は，各国市場の相違を縮小し，従来の国内市場の独立性を弱体化するため，国際化による損失を創出する。さらに，損失を予想する国内グループは政治的障壁の創出を政府に要求するようになる。これは，市場の国際化が開放市場への接近であるはずのものが，政治的要因を導入するため逆に不完全市場ないしは閉鎖的市場をつくり出し，経済摩擦を生み出すことを意味する。

こうして保護貿易主義運動がいったん成功し，対外関係に何らかの支配力を確立すると，そこには交渉力，影響力，戦略，指導力などが生まれ，それらを利用した保護貿易体制の確立と維持がはかられる。

また，政府には自立性あるいは独自性，さらには安全性を重要視する傾向がある一方，経済効率を軽視する側面がある。それは，経済効率が，相対的に長期の価値とみられるからである。技術革新による生産量の低減と生産性の向上は，短期には現実し得ない課題であるが，政治的対応は，短期的に大きな効果をあげ得るのである。

2 経済摩擦と国際分業の進展

世界経済の発展と国際分業

世界経済の国際的相互依存性をもっとも典型的に示すものは，伝統的に比較優位あるいは比較生産費といわれる概念で，それは分業（特化）の理論の中心である。そしてこの分業の概念は，経済思想の歴史において西欧文明の物質的基礎であり，19 世紀のイギリスがその発展の中心となった。

パックス・ブリタニカといわれるように，当時のイギリスの世界経済における大発展を背景として，国際貿易の理論的解明は，D. リカード，J. S. ミル，さらには A. マーシャルというような学者たちによって展開された。国際分業は労働の大きな節約であり，生産性を上昇させ，こんにちまでの発展と相互依存的な世界を創り出す基盤となった。しかしその反面，国際分業は循環的な景気変動を急速に拡大させ，分業にともなう職業的専業化による心理的圧迫や大量の未熟練労働者を発生させ，さらには都市の形成による社会的不安定と不利益を出現させるという欠陥を示したのである。

20 世紀になってからは，パックス・アメリカーナといわれるように，アメリカが世界の政治と経済の中心として最近まで指導力を発揮してきた。そして第二次大戦後は，イギリスの経済学者 J. M. ケインズの流れを汲む A. ハンセンや P. サムエルソン，L. クライン，J. トービンなどが，政府のマクロ経済政策を重要

視するアメリカ・ケインズ学派を形成して活躍した。また国際的側面に関しては，アメリカ国内経済の力強さの反映あるいはブレトンウッズ体制が順調であったことを背景として，ドル不足問題のC. P. キンドルバーガーや，発展途上国問題のR. ヌルクセなどの業績が顕著であった。すなわち，アメリカはその突出した総合的国力を背景にして，その指導性を発揮したのである。しかしソ連との対立が発生し，しだいに冷戦となり，ベルリン封鎖，キューバ危機あるいは朝鮮戦争やベトナム戦争，そしてハンガリーやチェコの動乱，その他の局地戦争や内戦が頻発するようになった。そして，ソ連に対応するアメリカの軍事力強化が促進され，それは軍事費の過大な負担となって，連邦政府の財政赤字の増大やアメリカ経済自体の困難の基本的原因の1つとなった。

　また第二次大戦後の自由世界では，マーシャル援助といわれるアメリカの対ヨーロッパ復興援助の成功や日本の経済高度成長によって，世界における先進国三極化が進められた。そして，その相互依存性を拡大するかたちで，世界経済の発展が促進されるかにみえた。しかし，国際通貨危機はすでに1950年代末においてR. トリフィンの警告するところであり，また70年代の2度にわたる石油危機を契機として，欧米においては経済や社会の停滞が注目されるようになった。すなわち，イギリス病あるいはアメリカ病などと呼ばれる先進国病の出現である。そして世界経済全体の停滞の中で，日本もしだいに生彩を失ってきている。社会主義経済圏においてもその非効率が著しく，多くの社会問題を生み出している。

国際分業を基盤とする相互依存関係が，その脆弱性をいかに克服し，その感応性をいかに発揮するか，それは今後の大きな課題である。脆弱性というのは，既述の感応性と並んで国際政治学における用語であるが，各国あるいは各主体が直面する代案の有効性とその経費で示され，政策変更以後の負担を意味する。

　さらに，世界の人口の約4分の3を占める発展途上諸国の課題を考慮するとき，競争原理を活用して効率性の追求を基礎におく分業の理論と比較優位の原則は，その重要性を維持する。なぜなら，世界は効率性を無視しうるほど豊かではないからである。

　しかし，世界経済全体の発展と利益を求める立場は，国内政治との対立を生ぜしめる。こうした対立は，特に世界の生産構造や貿易構造が変化しているときに生じやすくなる。すなわち，各国によって，また各国内の各グループによって利益の配分が変化するからである。そこには，市場の拡大を求め経済の成長をめざす自由貿易主義と，既得権の維持をはかる保護貿易主義との対立，あるいは管理貿易の問題があり，これは産業政策を基盤とする投資，特に外国投資との関連で課題となる。さらに工業製品を中心とする貿易や投資のみならず，伝統的農業産品あるいは新しいサービス産業の領域も，急速にその課題の解決を求められている。

　また景気の循環や，技術の進歩，成長速度の相違，長期・短期の資本移動や投機，あるいは発展水準の格差などから生ずる国際収支の不均衡調整の問題があり，その調整費用の負担が，マクロ経済政策の調整と世界経済の安定化の問題とともに重要となる。

国際貿易と比較優位

貿易が自由であるならば，各国は比較優位をもった商品を輸出しようとし，比較不利あるいは比較劣位の商品を輸入しようとする。すなわち，各国はもっとも得意とする生産領域にその能力や資源を集中して，その生産物を輸出し，不得意な商品を輸入する。では，その得意・不得意はいかに決定されるのであろうか。まず挙げられるのは気候や天然資源である。雨量や気温は屋外での労働の可能性に大きな意味をもち，石油や鉱石などの地下資源は，存在しなければなんの可能性も生まない。また立地条件も重要である。アメリカ，ソ連，中国のような大陸国では内陸輸送の費用が相当にかかるが，日本や韓国あるいはフィリピンのように海岸線が長く，かつ沿岸の海が深い良港が多い諸国では海上輸送費が安くつく。さらには，熟練労働者が供給できる複数の中規模都市があり，空港が存在する地域では，付加価値の高い軽薄短小のハイテク製品や高級生鮮食品などの生産に有利である。

人口も，その質と量双方において重要な要因である。労働集約的産業と資本集約的産業とにみられる労働の需要の相違や，先端技術産業における高度の科学知識と能力，さらには大量生産技術を実際に使いこなせる多数の技術者の供給は，各国の教育水準に依存する。また，資本の蓄積も欠かすことのできない要因である。

こうした各国経済の適性に応じた国際分業を実行すれば，各国はそれぞれ利益をあげ得ることを最初に説明したのは，リカードである。彼は，イギリスのラシャとポルトガルのブドウ酒の例をあげて，ポルトガルは両商品ともイギリスより安く生産できるが，

両商品ともポルトガルで生産されることにはならない，という。生産要素（労働）が国際間では移動しないと考えるからである。ポルトガルは国内でより安く生産できるブドウ酒に専念し，イギリスは同様にラシャに特化する。その結果，ポルトガルのブドウ酒とイギリスのラシャは交換される。

　リカードの理論の最大の欠点は，労働価値説に基礎をおいたことである。すなわち，貨幣費用と労働費用を常に等しいと考え，資本や土地の与えるサービスを考慮に入れず，資本と労働を実質単位での共通な分母にまとめようとしており，さらには労働が同質でないことも見落としている。

　こうした難点を克服しようとして生まれたのが G. ハーバラーの機会費用説である。彼は生産可能曲線を用いて，完全雇用を前提にした場合の貿易の利益を説明し，生産要素を労働に限定せざるをえなかったリカードの難点を克服した。そして，機会費用曲線の型が国によって相違した場合に，機会費用曲線の傾斜の相違が大きいほど貿易の利益が大きくなることも指摘した。この機会費用曲線は，生産可能性曲線であり，価格線であり，したがって貿易前における2商品（群）の交換比率である。すなわち，生産費比率の逆数である。

　その後，E. F. ヘクシャーと B. G. オリーンは，生産要素の相対的稀少性が異なり，生産要素投入比率が異なるために貿易が行われるという要素比率分析を行った。すなわち，労働と資本の2つの生産要素を考え，その比率が各国で相違することから，それぞれ労働集約的あるいは資本集約的商品が生産されることになる。

いいかえれば，資本が比較的に豊富な国では資本の価格が相対的に低く，資本集約的商品を生産し，労働力の豊富な国では賃金が相対的に低く，労働集約的商品を生産することになる。ここでは，生産可能曲線の相違する原因が究明され，機会費用説よりも深い分析が行われた。しかし，ヘクシャーとオリーンは，貿易の趨勢と型にのみ関心を示し，厚生の問題には立ち入らなかった。ここでは，古典派理論が，人間の厚生と物質的幸福の思想をきわめて重要視したことを指摘しておこう。

またサムエルソンが，自由貿易は，ある条件のもとでは，要素価格の完全な均等化を導き，世界の厚生を極大化するという優雅な理論を展開したことも注目に値する。

しかし，こうした比較優位の理論は，貿易の方向を示すものであっても，現実に貿易の交換比率を決定する交易条件の問題は残っており，この点については，J. S. ミルが相互需要の法則でもって説明したのである。交易条件は費用原理の特徴を示すものであり，理論的な意味と貿易政策の基本的な意味をもっている。交易条件は貿易の利益配分を決定し，有利な交易条件は高い賃金水準を実現するものであり，一国が相手国の犠牲によって利益を獲得するものである。

ところで，近代の貿易理論では，W. Y. レオンチェフの逆説すなわち，アメリカは資本集約的商品ではなく労働集約的商品を輸出しているという投入産出分析による研究が出たりして，比較優位理論の動学化が試みられるようになった。それは，研究開発（R & D）や技術の進歩に関する実証的研究（D. B. ケーシングな

ど），あるいは規模の経済 (S. B. リンダーなど) やプロダクト・サイクルの理論 (R. バーノン) の展開，さらには発展途上国の貿易と発展の問題 (R. プレビッシュ) などであり，1950 年代後半から 70 年代にかけての世界経済と国際貿易の顕著な発展を分析し，解明しようとしている。

　これらの試みは，静学的な比較優位論が前提する財市場と要素市場における完全競争を外している。さらには生産関数が相違する場合，消費の型が相違する場合などが考えられている。またリカードの理論が一次産品と製造品との交換を考え，ヘクシャー＝オリーン型理論が，与えられた要素賦存や天然資源の立地が各国で異なっていることを考えるのに対して，近年の貿易理論は，中間財と最終製品を含む製造品の交換を重要視する。製造業の発展と所得水準の向上は，製品分化を進展させ，産業内貿易の問題を提起している。さらに最近では，先端技術商品やサービスの貿易が注目されるようになり，新しい貿易理論が求められている。

　国際分業は，比較優位の動的展開と絶え間なく続く競争に刺激されて，常に変化し，世界経済の安定性に不確実感を与え，経済摩擦を激化させる側面をもつ。また，輸送と通信の領域における顕著な技術革新は国際分業を促進してやまない。情報の伝達の効率化は，市場競争を強化するものであり，貿易競争に技術競争の要因をより強く導入するものである。それも，情報や設計思想などソフトの側面を重要視する技術思想や，会社や労働組合をも含めた理論への展開がみられるであろう。

　こうした現実の貿易の展開は，比較優位の差を激化する可能性

をもつ。多国籍企業はそうした傾向を強化するであろう。そして，長期にわたる生産性の上昇とその国際的伝播こそ，世界経済の効率性を高め，安定性と発展に大きな力をもつものと考えられる。

3 先進国間の経済摩擦

日米欧の三極構造

現在の国民総生産と人口を，日米欧についておよその比較をしてみよう。3-1表にみるように，世界経済の動向は，まさに日米欧の三極にかかっている。すなわち，この三極は，人口こそ全世界の約1割強に過ぎないが，GNPでは全世界の約6割5分を占めている。そして，工業生産では先端技術分野において顕著な優位にたち，サービス領域でもその発展は目覚ましく，農業生産においてさえも，その生産力はきわだって大きい。

歴史的にみても，18世紀から19世紀にかけてはイギリスを先頭とするヨーロッパがその指導力を発揮し，20世紀になってからはイギリスを母国とするアメリカが，その巨大な経済力をもって世界に君臨した。そして，1980年頃からは日本が新たに登場してくることになる。

ふりかえってみれば，世界の工業国は，長い間，ヨーロッパとアメリカだけであった。日本の工業力は微々たるものであった。それが70年代に至り，特に1973年の第一次石油価格引上げ以降，ヨーロッパとアメリカの工業衰退とは対照的に，日本経済の顕著な発展がみられるようになったのである。それは80年代に入っ

3-1表　国民総生産と人口

	国民総生産(米ドル)	人口(人)
日　　　本	1兆5千億	1億2千万
アメリカ	3兆3千億	2億3千万
ヨーロッパ	3兆	3億
ソ　連　圏	2兆	4億
発展途上国	2兆	40億
世　　　界	12兆	50億

(出所)　矢野恒太郎記念会編『世界国勢図会1985』より推定

てますます顕著になり，近代世界史の観点からみると，そこに摩擦の根因があるといえよう。

　もともとヨーロッパとアメリカは同じ文化圏に属し，人種的にも白人系が大勢を占めている。同じ第二次大戦の敗戦国であるドイツの場合，アメリカはドイツ経済の実力を高く評価し，ドイツ産業のアメリカ化を進めた。1967年には，クルト・ブラウンホルンの *Ausverkrauf in Germany?*（『ドイツ投げ売り』宮禎宏訳，至誠堂）という著作が出版されたぐらいである。戦後のヨーロッパ全体に対するアメリカの大進出は，ジャン・ジャック・セルバンシュレベールの *American Challenge*（『アメリカの挑戦』林・吉崎訳，タイム・ライフ・インターナショナル）によく描き出されている。

　しかし，日本に対する評価は低く，日本の産業界は自力で再建を進めなければならなかった。

　ヨーロッパ諸国はマーシャル・プランにより巨大な援助を受けとったが，相対的に言って日本の受けた援助は微々たるものであった。アメリカは日本産業のアメリカ化ないしは国際化の絶好の機会を，自ら放棄したといえよう。

　そのおかげもあって，日本は，欧米流資本主義の弱点や欠点を

もたない，体質の違った独自の工業文化を築きあげることができたのである。

　この点は，のちにさらに検討するが，アメリカやヨーロッパだけが世界経済のエンジンであった場合には，文化的に同じ資本主義であり，社会体制や生活習慣も基本的に類似しており，相互の理解もしやすかった。しかし，相違した型の資本主義国（日本）が世界市場に工業製品を送り出すようになると，欧米側の理解が不足し，事実認識に誤解が生ずる。ここに，日本が配慮しなければならないコミュニケーションの深刻な問題がある。

　こうした点から摩擦問題を考えると，摩擦は必然の過程であり，経済的検討だけでなく，文化的・社会的検討が必要であるといわざるをえない。

　ところで，アメリカやヨーロッパの産業衰退を，J. ガルブレイスは資本主義の成熟期とよび，『第三の波』の著者であるA.トフラーは，第二の波にすぎない工業中心主義は誤りで，新しく生まれようとしている第三の文明の波が人類社会に押し寄せているために，現在，摩擦と混乱が生じているという。トフラー流にいえば，日本は第二の波をうまく処理しているにすぎないことになる。さらに，R. L. ハイルブロナーが『企業文明の没落』や『危機の時代を超えて』で主張しているように，資本主義文明の大変質の過程における混迷ととらえることもできよう。

　ところで，日米欧の三極構造という用語は，1970年代初頭に日米欧の民間の経済学者が「三極委員会(Tripartite Committee)」を構成したのを最初とする。当時，アメリカの財務長官ジョン・

コナリーによるニクソン政府の好戦的かつヨーロッパ一辺倒的対外経済政策を批判するアメリカの国際主義が，この三極委員会を生み出し，それはヨーロッパ主義を超越し，太平洋にも目を向けたのであった。また同時に，西ヨーロッパと日本の繁栄はアメリカの犠牲に基づくものであり，また保護貿易主義や通貨価値の調整を制御してきたのはアメリカの指導的役割に基づくとの考え方があった。したがって，日米欧の相対的経済力のバランスに大きな変化が生じ，パックス・アメリカーナの後退した局面においては，アメリカが一方的政策を遂行し，西側経済全体を悪化させる事態を回避する必要性も求められていた。そこには，三極の政府間でのよりいっそう広い範囲にわたる政策協調の実現が期待されたのである。

　三極委員会と密接な関係にあったカーター元米大統領が，世界景気回復のために，アメリカ，日本，西ドイツの役割を強調した「三大機関車論」も三極委員会の考え方の延長線上にある。

　国際通貨の領域でも，1970年代末頃，アメリカのローザ元財務次官が「ローザ構想」を提案し，ドル，マルク，円という自由世界の三大通貨の為替相場を安定的にする新しい国際通貨制度を主張した。そこでは，①アメリカ，西ドイツ，日本が何らかの客観的指標または協議によって目標圏を設定する（たとえば1ドル＝240〜245円，1ドル＝2〜2.5マルク），②毎日の相場がこの範囲からはみ出さないように，3国が協力して介入する，③3国の基軸通貨に，それぞれの地域の各国通貨を固定させ，その枠組みを通じて世界の通貨を安定させる，としている。ちょうど同じ頃，

R. トリフィンはつぎのように述べている。

　「ヨーロッパとアメリカおよび日本との交渉，ことに日本
とのそれがうまくいかず，交渉が難航している間に通貨危機
が再発する恐れがある。多くの国は自動的にドルに追随し，
ドル地域を形成することは疑いない。また他の多くの国々が
ヨーロッパ通貨地域を形成するだろう。またいくつかの国は
日本円に，あるいはアジア通貨地域に引きつけられていくか
もしれない。これは世界的規模での合意が失われているとき
に，可能なかぎり安定的な秩序を作り出すであろう。」

　トリフィンは，1960 年に『金とドルの危機』において世界通
貨制度の改革を訴えた。彼は，1950 年代にはヨーロッパ支払同
盟（EPU）およびヨーロッパ通貨制度（EMS）の創設に，また
1960 年代後半にはアジア決済同盟（ACU）の創設に尽力したこ
ともあり，その発言には現実的重みがある。

三極主義と経済政策の調整

　三極主義のなかでも，まずはアメリカと西ヨーロッパとの関係
が重要である。1947～48 年頃，東ヨーロッパへの支配を強化し
たソ連の脅威に対抗して欧米は組織化される必要があった。そし
て，マーシャル・プラン，NATO，EEC 以来，強固で緊密な同
盟が築かれるようになった。アメリカという国はイギリスおよび
欧州諸国を母体として生まれた国であり，文化的にヨーロッパと
共通した歴史的基盤をもつ。また西ドイツの民主主義を守り，ソ
連と対抗するために西欧に地域的共同体をつくることは，米欧に

とってさし迫った重要性をもつものであった。

　アメリカと日本との関係も，ソ連そして，（毛沢東の死後に変化を示したが）中華人民共和国の脅威に対抗するため，日米安全保障条約が基本となって，極めて密接となった。日本が一時的に占領したアジア諸国の日本軍国主義への不信感を回避しつつ，東アジア地域の安全を確保することは，アメリカの対西欧関係と同様に重要である。しかも極めて大きな日米間の軍事的不均衡を残しながらも，日本および東アジア NICs 諸国との経済関係は，アメリカにとって最も重要なものとなった。

　世界経済は，1960 年代から 70 年代にかけて「米―欧」および「米―日」関係が基軸であり，「欧―日」間は相対的に稀薄であった。「米―欧」，「米―日」関係を基軸として曲りなりにも世界経済が展開されてきたのは，1970 年代半ば頃までで，80 年代になってからはパックス・アメリカーナの衰退が明白になってきた。そして，アメリカの衰退期に直面した世界経済の真空化局面に登場したのが日本である。

　こうした展開の中で，アメリカは，西側の経済制度に日本がしだいに参加するようその政策を推進した。すなわち，1950 年代までは日本の保護経済主義を認め，貿易と投資の基盤である相互主義のルールを免除していた。しかし 1960〜61 年になると，欧州経済協力機構は，欧米という地理的枠組みをはずして経済協力開発機構（OECD）に改組され，日本（後にオーストラリアとニュージーランド）を加入させた。

　しかし「日―欧」関係は，三極関係の一辺を構成するには未だ

至っていない。「日―欧」関係は「日―米」関係と比較するとかなり稀薄である。70年代以来，日欧貿易は日米貿易のほぼ半分であり，その意味でも三極関係は未だバランスのとれたものではない。しかし，60年代には半分弱ないし，約3分の1であったことからすれば，かなりの進展はあったといえよう。

1973年の石油輸出国機構（OPEC）による石油価格の大幅引上げは，西ヨーロッパと日本に大打撃を与えたが，アメリカ経済は逆にその底力を証明したかに見えた。しかし，1970年代は欧・米・日の全体が困難に直面した時期であったといえよう。OPECの興隆は第三世界の政治的強化に活用された。また，アンゴラやアフガニスタン，エチオピアなどにみられるようなソ連の新しい全世界的軍事戦略に対抗する必要性が西側諸国に強く求められることになった。

そしてそれは，三極主義による先進市場経済間の経済政策調整方式，具体的にはサミットといわれる主要先進国首脳会議あるいは，G5，G7などといわれる先進国蔵相・中央銀行総裁会議となって実現した。その政策目標は，相互依存の増大と市場の開放から生ずる共通の利益を維持・拡大し，保護主義や孤立主義を制約しようとするものである。それは，通貨，貿易，エネルギー，雇用，財政，環境など，先進諸国に共通する重要な問題に関して政策の調整が実現されることを意図している。

そこでは，自国のみの利益を追求し，他国を傷つけるような短期的政策を阻止し，自他ともに自由主義的市場経済と民主主義的価値観を発展させるような相互信頼に基づく協調が必要とされる。

政治的・倫理的・経済的理念に関して共通のイデオロギーを追求することは，きわめて重要であり，その際，歴史的，文化的，社会的に相違する欧米と日本との間の相互理解と協調は必須の要件となる。そしてブレジンスキーのいうように，「先進諸国の共同体」を目指すならば，文化的寛容と忍耐は多面的な努力を求められることになろう。

　また，ブレトンウッズ体制以後の新しい国際経済制度を樹立するための一歩も踏み出されねばならない。1986 年の東京サミットで採択された経済宣言は，経済機構の調整とマクロ経済政策の協調に重点をおき，為替相場への協調介入で合意し，G7 の設立を決めた。G7 の目的は，インフレなき経済成長の促進，国際貿易・投資制度の開放，雇用と市場志向型投資の強化，為替相場の安定性の向上などであり，これらの目的を実現するために経済指標目標値を作り，互いに監視し合い，経済の実績が目標と大きくかけ離れた場合には政策を変更するとした。その後，その指標値の縮小や内容の確定など，若干の作業がG7 財政当局で行われているようである。これはベーカー米財務長官の新構想であり，実現すれば，新国際経済制度への第一歩となる可能性をもっている。

　そこでは，各国の政策運営のために，基本的に相互間の情報交換と討議を頻繁に求めることになる。現代は，他国の政策の方向を相互に理解ないし了承することがなければ，自国の政策目的の追求も困難な時代だからである。

　他国のマクロ経済政策の予測なしには自国の財政金融政策が形成できないのが開放経済体制の原則であり，世界経済が不均衡状

態にあり，各国の景気変動が同時化する傾向にあるならば，各国の景気対策も同時化されねばならない。そこに政策調整の必然性が求められるのである。

日本と米欧における企業と労働組合

前述したように，三極主義といいながらも，米欧と日本ではその文明史の背景が異なり，三極間協調を実現するためには，その経済体制の基本的類似点と相違点を認識する必要がある。ここでは，経済体制の基本的枠組みの中心である「企業」あるいは「会社」の概念や行動と，「労働組合」の概念や構造原理が日本と米欧間でいかに対照的であるかを指摘し，若干の分析を行う。

まず，「会社」ないし「企業」の概念と行動様式を検討しよう。その特徴を明確化するために，会社が不況に直面した際，日本と米欧の企業は一般的にどう対応するかを比べると，米欧の会社は最初に労働者のレイオフ（一時解雇）を実施する。その一方，株式配当や役員賞与などは優先させ，それを維持しようとする。しかし，日本の会社はまず株式配当の支払いを停止し，役員賞与を全廃ないし削減する。労働者のレイオフや解雇は極力回避し，やむを得ない場合にのみ実施する。このように，米欧の会社が株式利潤ないしは株主のために存在するのに対して，日本の会社はまず労働者のために存在している。そのことが労働者の意欲を高め，生産性を向上させ，結局のところ利潤も高まり，配当を維持できることにつながる。一方，米欧の会社は生産要素の投入，特に労働力の投入を削減し，生産費と生産量の縮小をはかって利潤率を

維持し，配当の支払いを継続しようとするのである。

　日本の場合は利潤がゼロであっても，投入された生産要素，特に労働力を技術や情報を身につけた資産と考えるために，手放そうとしない。日本の会社は，生産要素の調整による利潤極大化よりも，利潤と配当の幅を調整して不況克服をはかるのである。これは，サムエルソンの経済学の入門的教科書などに示されているように，「利潤と損失の原理」によって会社を経営していることを意味する。

　他方，米欧の会社は古典的資本主義の特徴である「私有権」に重要な意義を認め，会社は利潤をあげ配当を支払う限りにおいて存在価値があると考える。これは，P. ドラッカーなどの経営学書でも強調されている。

　つぎに，米欧と日本の「労働組合」の内容を比較検討しよう。長いあいだ米欧の雇用制度や産業別・職種別の横割り労働組合制度こそが民主的であり，高度な経済水準を維持し，発展させるのに望ましい型であると主張されてきた。そして，日本式の縦割りの企業別労働組合は御用組合であり，終身雇用制は封建制度の残滓であると考えられてきた。しかし，日本経済，特に製造工業の発展は日本型労働組合の長所を認めさせるきっかけとなり，逆に米欧流の横割り水平型労働組合組織は経済がうまくいかなくなったひとつの要因として指摘されるようになった。米欧の労働組合は日本型企業別組合組織と違って，産業別，さらには職種別の全国組織である。そのため，ストライキや賃上げ闘争は全国的な影響を与えることができ，極めて効果的である。だがその反面，一

企業の対応の枠をしばしば超えてしまうことがある。

　現代の米欧の労働組合が職種別機能を基本としていると考えれ
ば，中世ヨーロッパのギルド組合を現代に延長したとみることが
でき，そこに制度上の問題がある。米欧流の横断組織では同一職
種・同一産業内の独占的労働組合が結成され，同一職種の労働者
間に競争原理が働かない。同一職種同一賃金という思想も労働者
個人間に競争原理を働かなくさせ，労働者個人の効率性への意欲
を妨げる側面をもつ。

　しかし，日本型企業別労働組合では市場原理が働く。たとえば
A，B2つの自動車会社を考えてみよう。もしA社の組合がきわ
めて強力で，市場賃金の2倍の賃金を獲得したとする。その他の
条件が等しいとすれば，A社の自動車の価格は市場価格の2倍に
なる。他方，B社の組合は市場賃金水準で労働契約を結んだとす
る。その際，B社の自動車は市場価格となる。その結果はB社の
自動車は売れるが，A社の自動車は売れないことになる。A社は
倒産し，組合も解散し，労働者は失業する。あるいはA社は自動
車価格を市場水準に引き下げ，賃金も市場水準に引き下げる力が
働く。

　しかし，米欧の場合は日本のように企業別労働組合ではなく，
労働組合間での市場競争原理は働かない。それがアメリカ製品の
高価格，低品質をまねく一因となったのである。米欧では労働組
合制度の体質改善が求められており，その兆は徐々に現れ始めて
いる。アメリカの自動車労働組合でも，実質賃下げと雇用保証と
いう日本の終身雇用制と類似した労働協約が結ばれたりした。こ

うして米欧で賃金の弾力性がいくぶんでも実現し，雇用保証が実現に向かう過程は，米欧型の対決モデルから日本型の協調モデルへ移行する転換期にあるといえよう。

　日本の製造工業の強い国際競争力に起因する世界的な経済摩擦の構造的背景には，このように「会社」や「労働組合」のあり方の違いがあることが認識されねばならない。

4　経済発展と国際政治の拡散

新興工業国の急速な経済成長

　多くの発展途上諸国が停滞するなかで，新興工業経済地域 (Newly Industrializing Economies—NIES) あるいは中進国と呼ばれる諸国は，第三世界発展のエンジンであり，希望の星であり，新たな課題をかかえながらも，その活力は賞賛されている。

　一般に NIES 諸国としては，東アジア，東南アジアでは韓国，台湾，香港，シンガポールがあげられる。西アジアではインドとパキスタン，中南米ではメキシコとブラジル，ヨーロッパにおいてはスペイン，ポルトガル，それにユーゴスラヴィアが入る。これらの諸国は，60年代，70年代に，8%から10%を超える高い成長率を実現した。しかし今日，中南米の NIES は巨額の累積債務に悩み，ヨーロッパ NIES は拡大 EC に吸収され，その前進は新たな局面を迎えている。一方，アジア NIES の韓国，台湾，香港，シンガポールは成功著しく，輸出指向，市場機構を重視する経済政策をとり，潜在成長力の充実と，産業構造の調整と改善を

持続的に達成してきた。

　これらアジア NIES 諸国は今や「離陸」の段階を過ぎ「技術的成熟への展開」の段階に至ったとみられる。1970 年代は石油を武器とした産油発展途上諸国の好戦性への対応が世界経済にとって重要であったが，1980 年代になってからは，NIES 諸国の成長維持と先進諸国の産業構造の動態的適応との調整が大きな課題となっている。その意味で，アジア NIES の役割が 1987 年のベネチア・サミットではじめて言及されたことは注目に値する。すなわち，ドル安を背景に，韓国，台湾などが輸出競争力を高め，貿易黒字を急増させ，アメリカを主とする先進諸国の貿易不均衡是正の効果を削減するとの立場からである。そして，それら諸国に対し，貿易障壁の縮小と，米ドルにリンクされた通貨の切上げによって自由貿易体制維持への役割を果たすことを求めたのであった。

　第二次大戦後に発足した GATT は，北の先進工業諸国と南の発展途上諸国との効果的協議に失敗し，R. プレビッシュの指導のもと，南の諸国の対先進国経済関係を強化するため，1964 年に UNCTAD が結成された。そして新経済秩序が模索されたが，南の諸国は次第に分極化し，成功した国と失敗した国との格差が拡大し，80 年代になって，その経済力の格差が国際政治の場にも反映するようになったのである。

　これをグローバルにみれば，先進諸国は南の諸国の中に，効果的に協議できる国を見出したことになる。そこでは一般大衆の教育水準や技術水準が高く，新しい技術革新を追求する能力がある。

そして，原材料など一次産品に恵まれないことが，かえって交易条件の不利化という構造問題にとらわれない利点を与えたと考えられる。

こうした中進諸国の発展は，世界政治の力の分布を変化させた。著名な未来学者 H. カーンは，「世界の活力の中心は，かつては地中海にあり，その後北西ヨーロッパから北大西洋へと移ったが，いまや太平洋水域に移ろうとしている」と述べた。東アジアの4つの小竜国は，儒教文化の影響が強く，西洋文化と比較して，協調性を保ちつつ持続的な努力を必要とする工業化に適するとの見解もある。

伝統的儒教文明に西洋の工業文明を融合させた先例としては日本があるが，4つの小竜国は複雑な政治的環境，すなわち東西分断国家であったり，中国との微妙な関係をもったりするという緊張感があるが，それが刺激となって，経済的成功が国家的存在意義を認識することになると自覚させたのである。

こうした儒教文明圏の興隆は，西洋の近年における低迷と対照的である。欧米では，そして最近では日本でも，労働や勤勉を悪とする，あるいは歓楽を良しとする考え方が「企業は害である」「小さいことは美しい」「簡素な草の根ボランタリー運動」などの標語のもとに展開されている。しかし，たとえ豊かな社会を実現し，高度な技術・情報社会が実現されても，労働は永遠に継続されなければ，その国家や社会は衰退をまぬかれないのである。

こうして，東アジアにおける新しいうねりは，世界経済の新しい展開を促進する契機とみられている。

南北間格差と国際貿易

しかし，一般に南北問題が論じられるとき，前節に述べた NIES の姿とは対照的に多くの課題が浮かびあがる。ここでは問題を貿易に限ることとするが，発展途上諸国は輸出の 8 割を一次産品に依存しており，それが基本的に問題を難しくしている。すなわち，一次産品の所得弾力性の低さ，代替合成品の出現，価格の不安定性，先進工業国の輸入制限等が，発展途上国の交易条件を不利化させているのである。こうした課題を UNCTAD は 4 年ごとに開催される総会でとりあげ，特恵措置や一次産品総合計画など種々の決議を行っているが，その成果は若干はみられても微々たるものである。

その間，1973 年秋の石油危機以降，非産油発展途上国のみならず急速に工業化を進めたブラジル，アルゼンチン，メキシコなどの中南米諸国を中心に対外債務累積問題が深刻化し，一部の国は債務支払い不履行状態に立ち至っている。慢性的輸出不振と輸入の超過需要は，これらの諸国をして，深刻な挫折感を味あわせている。それらの累積債務国は，先進諸国が貿易面で差別政策をとると批判する。そして，債務問題の現実的かつ永続的な解決の端緒は，世界経済の再活性化と先進諸国の貿易障壁の撤廃でなければならないとする。しかし，これら累積債務国の経済政策の誤りや，工業化の失敗，低生産性に基づく輸出不振が問題の根底にあるとし，国内経済運営能力の強化を求める見解も多い。

にもかかわらず，発展途上諸国が工業化を進め，南北間格差の縮小を意図するならば，先進国市場の開放促進が必要である。し

かし仮に，発展途上国が年率6%で成長し，先進諸国が3%で成長するとすれば，発展途上諸国は，その工業活動と貿易需要を，発展途上諸国相互間でよりいっそう満たさざるをえなくなるであろう。それでも，先進諸国の購買力は，南の諸国にとって最も重要であり，北の諸国も絶え間ない経済と産業の構造調整を求められ，国際分業のいっそうの進展が必要である。その調整と適応の過程において摩擦が発生するのは自然の成行きであるが，新しい世界貿易のルールづくりがGATTを中心に絶えず進められるようになり，現在も，農業とサービスの貿易を中心課題として世界大の多角的交渉が進展中である。

5 多国籍企業と国際投資摩擦

多国籍企業と経済進歩

現代の世界経済における論争的課題の1つに多国籍企業がある。すなわち，多国籍企業は雇用を創出し，賃金を支払い，技術や経営手法を普及し，各国の成長を促進し，世界経済を相互依存的な拡大方向へ展開すると考えるのが一般的な流れである。しかし，批判的な立場からすると多国籍企業は帝国主義的略奪者であり，世界経済を政治的依存と経済的低開発性の網の中に組み込み，きわめて少数の巨大企業が支配力を確立すると考える。後者は主として社会主義者などの見解であるが，今日，ゴルバチョフ改革下のソ連や東欧諸国，さらには中国でも資本主義的手法の導入による経済近代化を実行しようとしており，中国やハンガリーやポー

ランドでは株式発行にさえ踏み切っている。このようにみると，世界経済の発展を多国籍企業なしに実行することは考えられないといえよう。

多国籍企業とは，基本的に数カ国以上で経済活動を行い，世界市場全体を対象とする戦略をもって経営される企業である。

この多国籍企業の投資・生産活動が，貿易を通ずる市場機能の働きと比較して，世界の資源の最適配分にいかなる利点をもつかを分析・検討することは，市場の不完全性を考慮する際に極めて重要である。すなわち，巨大多国籍企業の発展は，競争市場において貿易が達成できるだけのものよりも，さらにいっそう，長期的にみて世界中の賃金や地代，利子率の均等化を効果的に実現すると考えられるからである。

19世紀，20世紀前半のヨーロッパやアメリカ，そして戦後の日本の高度成長期における国内投資の増大こそが，その発展の鍵であったことと同様の類推である。すなわち，国民的規模の金融市場や資本市場の充実，生産費と市場からみた最適立地の選択が，労働の移動や賃金の上昇，資金費用の低下を実現したのである。そして，その国際的ないし多数国における展開の成果が期待されるわけである。

多国籍企業の特徴の1つは，企業の経営権あるいは所有権に顕著な影響を与える直接投資を行うことであり，経営能力の移転，あるいは経営資源の移転をともなう。しかも，単純な外国企業のそれと異なる点は，多国籍企業は，より多数国で行動するため，より外国投資促進的であり，多数国間の経済関係を密接化し，統

合的作用さえもつことである。さらに国民国家が恐れるほどの強大な支配力，交渉力をもつことである。

　特に，国民国家が国境によって商品や労働や資本の動きに制限を加える傾向にある時，多国籍企業は国家のもたない機能を国際的に果たし，生産物と投入物の双方の貿易において比較優位の原則を強化することが可能である。世界大での効率を求める時，多国籍企業の行動領域は世界経済全体であり，国際政治の単位である国民国家ではない。

　つぎに，第2の特徴として，多国籍企業の組織が多数国にわたるため，多国籍企業自体と各国との間の利益配分が問題となる。企業内部では親会社と子会社との間における集権と分権，各国自体にとっては，資本，技術，マネジメントの導入によって社会的利益ないし民度向上をいかに図るかが重要課題である。そして，各企業は独占利潤を確保しようとして差別的に市場間調整をはかり，あるいは模倣による新規参入を阻止したりするため，国民経済の厚生を極大化するかどうかは明確でない。また，課税や関税支払いを回避しようとして，価格移転（price transfer）という表示価格の過小申告や過大申告を伴う内部振替えを行い，国家への不利益を与えるといわれる。

多国籍企業の進出と政治的摩擦

　アメリカにおいてさえ，大統領自ら，外国投資を常に歓迎しながらも，軍事的・政治的立場からの見解になると米政府部内でも複雑である。たとえば，米国CIA長官が，「アメリカの電子計算

機会社における日本の大きな役割はトロイの馬である。日本の技術に過度に依存することは、この分野でのアメリカの技術的指導性を弱体化させる。また、アメリカの国家安全保障の観点からも通商上の観点からも危険である」と日本を批難したことがある。事実、富士通の米国フェアチャイルド社買収は米国防省の反対によって中止された。

　最近、厄介な問題として取り上げられるのが、一国企業の外国人所有権の増大の与える長期的影響である。一般労働者は資本の供給や技術の提供が雇用機会の増大と賃金の上昇を導くものとして大歓迎するが、基幹産業や軍事産業の場合となると、外国多国籍企業の進出に伴う種々の課題が論議の対象となる。労働組合の指導者たちは、雇用の機会が増大しても、日本のような異なった労働組合のルールへの適応が労働組合員にどう影響を与えるかを懸念する。企業家は進出受入れ市場での競争が激しくなることを憂慮する。多額の利潤送金を案ずる論評もある。

　しかし、一般的に言えば、多国籍企業は新しい生産技術とマネジメント手法をもつからこそ対外進出を果たすのである。

　現代世界で投資問題が最も政治的にとりあげられるのは、日本の対米投資である。アメリカへのヨーロッパおよびカナダからの投資は約8割に及び、日本からのそれは80年代になってからで、80年代初期には1割にも及ばなかった。しかしその急激な増加が、アメリカ側を懸念させるのである。匿名希望の米商務省高官は、「日本からの投資が増大し、強力となり、利益集団を形成し、アメリカの国内問題に多大な影響を与える心配がある」と自国の

新聞記者に語っている。

　アメリカの複雑な，そして自己矛盾を伴った反応は，自動車や鉄鋼の場合によく表れている。例えばクライスラーは，GM＝トヨタの合弁事業を反独禁法的として訴えながら，同様の交渉を三菱自動車に求めた。また，日本鋼管とナショナル・スチールの合意に USX は激怒したともいわれている。

　ヨーロッパ諸国でもフランスなどは複雑な反応を示しているが，イギリス政府は種々の特典を日本企業に与えて，産業の活性化，地域開発の促進を強く求めている。しかし日本側からみると，一般的に，進出の契機は EC の輸入制限や高関税障壁などを克服することにあり，商品の質や生産性の水準の維持などではない。

　発展途上国では多国籍企業がそれ自体で閉鎖的な飛び地的立場をつくりあげるため，現地企業や現地経済と断絶的となり，現地企業家の形成が損われ，発展途上国を経済的に従属させ，社会構造を分解させ，政治的混乱を生ぜしめるという議論がある。これが従属理論といわれるものである。

　しかし ASEAN 諸国や中国などは，特に日本からの投資を求め，多国籍企業による合弁事業の導入を通じて経済発展を促進しようという動きを示すようになっている。単独の民族企業だけでは経済成長を実現しえないことを知るようになったのである。

〔参考文献〕
渡部福太郎『現代の国際経済体制』東京大学出版会，1980 年
緒田原涓一・西川潤編『テキストブック世界経済』有斐閣，1982 年
高坂正堯・公文俊平編『国際政治経済の基礎知識』有斐閣，1983 年

土屋六郎『戦後世界経済史概説』中央大学出版部，1986 年

R. バーノン（霍見芳浩訳）『多国籍企業の新展開』ダイヤモンド社，
　1971 年

小島清『日本の対外直接投資』文真堂，1985 年

柳田邦男『日本は燃えているか』講談社，1983 年

本山美彦編『貿易摩擦をみる眼』有斐閣新書，1983 年

江崎真澄編『経済摩擦解消の対策』紀伊国屋書店，1983 年

石原滋監修，三井物産調査部『貿易摩擦』産業能率大学出版部，
　1985 年

船橋洋一『日米経済摩擦——その舞台裏』岩波新書，1987 年

緒田原涓一『大いなるアメリカ病』東洋経済新報社，1980 年

国際通貨・金融体制の政治経済学

はじめに

　本章の目的は，ブレトンウッズ体制下の国際通貨・金融体制をとり上げ，基軸通貨国（覇権国）とその他の加盟国（非基軸通貨国）との相互依存と対立の構造を政治経済学の立場から分析し，解明することである。

　ここで採用する方法は，市場メカニズムを基礎とする国際金融論と，公共財アプローチにもとづく国際通貨体制論とを組み合わせたものである。この方法にしたがって，戦後，ブレトンウッズ体制下において固定相場制としての IMF 体制が成功し，また成功したが故に崩壊せざるをえなかった諸要因が立ち入って説明される。また，現行の管理フロートへ移行しても前述の諸要因は基本的に解消されておらず，重大な諸問題が未解決であることが指摘される。

1 公共財としての国際通貨体制

　国際通貨・金融体制は一つの公共財とみなすことができる。公共財とは私的財と対立する概念である。ある財を購入した人（国）がその財の代価を支払って排他的にそれを消費または利用できるとき，その財を私的財とよぶ。通常，市場で売買される財・サービスはこの範疇に属する。

　一方，公共財は，購入者が独占的に（排他的に）その財を利用できず，したがって，その財を購入しなかった人も利用できる財のことである。つまり「ただのり」が可能となる。人々は，公共財の購入に当たっては，代価を支払って購入しても他の人々に「ただのり」される，あるいは自分が「ただのり」できるため，私的財のようには購入したがらない。つまり，公共財は市場メカニズムによっては供給されたり，需要されたりしない。例えばすぐれた環境や道路，公園等の公共施設がその例である。

　一国を外国の侵略から守る国防も公共財である。ある国（A国）の特定グループの人々だけが費用を出しあってA国の防備を固めた場合，外国から侵略されないという利益を費用を負担したグループだけで独占することはできない。A国の国民のうち費用を負担しなかった人々も外敵から侵略されないという利益を享受する。このとき，費用を負担しない人々が利益をうけることを阻止することは不可能である。外からの脅威が現実のものである限り，費用を負担しなかった人々は「ただのり」しているわけであ

るが，このような「ただのり」が可能である限り，全国民が国防のために自発的に支出することは通常はむずかしい。「ただのり」されるよりも「ただのり」する方が有利だからである。したがって，国防のような公共財は市場では確保されず，国民の代表である議会がこれを決定し，課税によって全国民に費用を負担させるのが通例である。

国際通貨体制も一つの公共財とみなすことができるが，通貨体制が有効に機能するには通貨体制と整合的な国際貿易体制が必要である。もちろん，2つの体制はある程度の相対的独自性は持っている。しかし，例えば貿易体制が自由貿易体制からほど遠いものであるとき，通貨・金融体制が円滑に機能することは困難であり，逆に通貨体制が行きづまれば，貿易体制も行きづまらずを得ない。つまり，世界経済システムにおいては，お金やファイナンスの動きは物・サービスの動きと表裏一体である。

公共財としての国際通貨システムを供給し維持する費用（コスト）とは，そのシステムが円滑かつ効率的に動くようにさまざまの犠牲を払うことである。システムが円滑に，かつ効率よく動くには次の3つの機能を持たなければならない。

(a) 国際通貨としての信認
(b) 国際流動性の適切な供給
(c) 有効な国際収支の調整メカニズム

この3つの機能を持つためには，国際通貨システムを供給・維持する国（基軸通貨国）または国家群の通貨市場と金融・資本市場が十分に自由化，開放化されていなければならない（基軸通貨

とは，国際通貨の中で中心的役割を果たす最も重要な通貨のことである）。同様に，財・サービスの貿易市場も十分開放され，また自由化されていなければならない。

これに対して非基軸通貨国は，一方では基軸通貨国の自由な金融市場と貿易市場を利用しながら，他方では自国の市場をある程度保護する場合が多い。基軸通貨国が支払うべきコストとはまず第一に，非基軸通貨国にさまざまな程度や内容の保護主義を許すことによって自国の銀行や非銀行企業が他の加盟国で不利な立場に一時置かれることを甘受することである。

このような通貨体制は「ただのり」が可能であり，通貨体制という公共財を多数の国が共同して自発的に供給することは困難である。また今日，世界中央政府や世界中央銀行は存在しないため，超国家的立法や強権によって供給することも困難である。したがって，このような体制は長年にわたって徐々に発達した自然発生的なもの，すなわち金本位のようなものを採用するか，その時の覇権国（最強国または中心国）が公共財供給の費用の大部分を負担する形でしか供給されない。そうしなければ多くの国がその通貨体制に参加しないからである。

覇権国がこのように費用の大部分を支払う意志をなぜ持つかといえば，一定の通貨体制がその覇権国にとって好ましい状況をつくり出し，かつその状況から得られる利益（覇権の存続等）が公共財供給の費用にくらべて十分大きいからである。この利益は，公共財を供給しないことによって覇権国が被る損失（同盟国の脱落等）に正比例する。この利益の評価に当たっては，覇権国のイ

デオロギーや価値観が大きな役割を果たす。例えばブレストンウッズ体制という公共財の確立については，アメリカの自由主義・市場主義（資本主義）のイデオロギーが大きな役割を果たした。このほか，安全保障上のメリットや経済的利益が重要であることは言うまでもない。自由な市場と自由な競争を前提とする国際貿易・通貨体制の確立は，覇権国（アメリカ）の企業や家計にとって活躍の場が拡大すると考えられたのである。これはもちろん，アメリカの企業の国際競争力が世界一であり，また将来もそうありつづけるという前提にもとづいた「利益」であった。この前提が崩れ始めたとき，旧 IMF 体制はアメリカ自身の手で変質を余儀なくされた。最近のアメリカにおける保護主義の台頭も，公共財供給のメリットの一部が明確に失われたこと，同じく公共財供給の負担能力が低下したことによると解釈することができる。

2　通貨・金融体制の 3 機能

信　認

　通常，信認（コンフィデンス）といえば国際通貨そのものの信認のことであるが，ここではこのような信認を狭義の信認とよび，通貨体制そのものに対する信認と区別する。後者を広義の信認とよぶこととする。

　国際通貨に対する狭義の信認とは，世界の人々がその通貨を国際通貨として認め，これを信頼し，よろこんで 3 つの役割（価値尺度，支払手段，価値の蓄蔵）を果たす通貨として受け入れるこ

とである。通貨の一般受容性ともいわれる。このような信認は国内通貨の場合には，国民議会から選出された中央政府が監督する中央銀行が発行し管理するため，比較的容易に確立される。しかし，政府や中央銀行が経済政策（通貨政策を含む）の失敗を重ねたり，インフレーションを悪化させれば国内通貨でも信認は低下したり，失われたりする。

　国際通貨の場合には，世界議会や世界中央政府，世界中央銀行といったものは存在しないから，信認の確保は国内通貨よりも困難である。歴史的に知られているのは，人類が国内経済や国際経済において自然発生的に用いてきた貴金属通貨（商品通貨ともいう）か，その時点の最強国の通貨，あるいは両者の組合せをもって代用することである。

　前者がパックス・ブリタニカの下における金本位であり，後者がパックス・アメリカーナの下における旧 IMF 体制（1971 年 8月，ドルの金兌換が廃止されるまでの IMF 体制）である。しかし，パックス・ブリタニカの下における金本位もポンドという補助国際通貨によって補完されていた。IMF 体制下の支配的国際通貨はアメリカの通貨である米ドルであるが，アメリカがドルを金へ兌換することが保証されていたし，多くの国が金を準備通貨として保有していたから，純粋なドル本位ではなく，金ドル本位，あるいは金為替本位とよばれた。

　国際通貨の一般受容性あるいは信認は，その通貨がその時の最強国の採用する通貨であるため，現実の貿易や国際金融において広く用いられているという実績をもつことから得られる。

広義の信認とは単に国際通貨の一般受容性だけでなく，加盟国が一つの通貨体制に参加することによって，参加しなかった場合にくらべてより大きな利益を得ると信じうる条件がととのっていることである。

　広義の信認が成立するための条件としては，①基軸通貨国または体制を支える覇権国が卓越した経済力と政治力を持っていること，②基軸通貨国が相当の犠牲を払って，参加国に参加のコストを上回る利益を与える意志を明確に持っていること，等が挙げられる。①の中に経済力のみではなく政治力が入っているのは，軍事力や外交力に弱点を持つ国は一般に基軸通貨国にはなれないことを意味している。何故なら，その国が外国に占領されたり，外国の影響力の下におかれたとき，その国の通貨はただの紙切れになる可能性があるからである。また安全保障上の最強国でなければ，体制の加盟国がルール違反をしたとき，ルールにしたがって違反国に制裁を加えるか，加えるよう諸国を説得する力を持つことができない。さらに加盟国が体制外の国から侵略をうけたとき，加盟国を有効に支援することができることは，中心国としての望ましい性質を備えていることになる。これらの条件が満たされなければ②の体制維持の意志を仮に持っていても，その意志を実行にうつす能力を欠いていることになる。

国際流動性の適切な供給

　国際流動性とは，さきに述べた国際通貨の機能を果たす金融資産の総和である。現在では米ドル，マルク等の外国為替，金，

SDR，IMF の引出権等の総称である。一つの通貨体制が円滑かつ有効に機能するためにはその体制の支配的通貨が適切に供給されなければならない。ここでいう「適切に」とは，世界経済にインフレをもたらさない，またその順調な成長を可能とするという意味である。固定相場制の下では，国際通貨の過剰な供給は基軸通貨国が非基軸通貨国へインフレを輸出する形で世界的インフレを引き起こす。逆に，国際通貨の供給が過少であれば世界的デフレを引き起こす。

　変動相場制の下では国際通貨の過剰供給はその通貨の減価（ドルの場合はドル安）をもたらし，過少供給であれば増価（ドル高）をもたらす。減価（切下げ）にせよ増価にせよ，国際通貨の価値が安定していないことを示しているわけで，狭義および広義の信認の低下を招く。

　基軸通貨が金・銀等の貴金属通貨であるときは，その供給は，発見されている金鉱の埋蔵量や採掘の難易，採掘技術の進歩の状況等に依存する。これらは短期的には解決しえない供給条件である。したがって，この場合は国際通貨の供給は適切に行いえないわけであるが，次善の対策としては，金価格の引上げ（増価）や，信用通貨（例えばイギリスのポンド）を金とリンクした上で補助的国際通貨として供給すること等がある。

国際収支調整機能

　一つの通貨体制の加盟国が国際収支の不均衡に陥ったとき，この不均衡を円滑に是正するメカニズムが体制の中に組み込まれて

いることが必要である。ただし，ここでいう国際収支の不均衡とはかなり曖昧な概念であって，あるときは総合収支（資本収支と経常収支の和）の不均衡の意味に用いられ，あるときは貿易収支または経常収支の不均衡の意味に用いられる。

　貿易収支が赤字でもその赤字を資本の借入れ（資本収支の黒字）で埋め合わせれば総合収支（国際収支）は均衡するから，貿易収支の「不均衡」は経済学的には不均衡ではない。貿易「不均衡」が経済摩擦の大きな焦点になるのは，貿易赤字や貿易黒字が持つ政治的含蓄のためである。

　一つの通貨体制の下における国際収支不均衡を是正するメカニズムとは通常，その体制の下で決定されている一定のルールや手続きのことである。このルールは暗黙のもので成文化されていないときもある。このルールは金本位，旧 IMF 体制，現在の管理フロート体制の下ではそれぞれ異なっている。金本位の下では金の流出入による国際収支の自動調整メカニズム，旧 IMF 体制の下では財政・金融政策の調整と固定為替レートの（時おりの）変更と IMF の一時貸付，管理フロートの下では市場の実勢が決める為替レートの変動による調整等である。現実には，これらのルールはそれぞれの体制の下で一定期間，あるいはある限度内で不均衡是正に役立ったが，いずれもある段階で行きづまり，体制の崩壊や変質をもたらした。現行の管理フロートも，「何が国際収支不均衡か」という問題をめぐる混乱もあるが，フロートの調整メカニズムは当初の楽観的期待を裏切るものとなっており，多くの加盟国は不満を表明している。

3 旧 IMF 体制にみる通貨体制の 3 機能

信 認

　広義の信認は，①アメリカが卓越した経済力と軍事力を持っていたことと，②1930 年代の国際通貨・金融システムの混乱の教訓から，アメリカが新しい通貨体制を運営する意欲を持っていたことによって確保された。アメリカを除く主要国は第二次大戦によって戦勝国も敗戦国も疲弊し，アメリカの国民総生産がソ連圏を除く世界経済に占める比重は 50% を超えていた。またアメリカは当時，唯一の究極の国際通貨とみなされた金の 70% を保有していた。アメリカは第二次大戦において連合国側を勝利に導くのに指導的役割を果たし，かつ武器や資金の貸与を通じて債権国としての地位を高めていた。

　しかし，アメリカは国際通貨体制の運営において新興国であり，いわば成上り者であった。したがってヨーロッパの経験の活用，とくにイギリスとの協力関係は重要であった。よく知られているように，IMF 体制の確立に当たっては，旧体制の覇権国であるイギリスがケインズ案をもって指導権をにぎろうとした。しかし，アメリカのホワイト案がアメリカの圧力の下に採用され，通貨におけるパックス・アメリカーナが発足したのである。

　他方，狭義の信認は，ドルの金兌換を含む固定相場制と通貨交換性の採用によって確保された。すなわち，各国は米ドルを実質的基軸通貨として用い，自国の通貨をドルに固定レートで「釘付

け」した。アメリカはドルの金兌換を約束し，ドルを金に固定レートで「釘付け」した。ここで「釘付け」というのは，中央銀行が一定の固定レートで外国為替市場でドルと自国通貨の売買（介入）を行い，為替レートをあらかじめ決められた水準に保つことである。アメリカの場合は，ドルの保有国がドルを金に換えたいと申し出たとき，金1オンス＝35ドルのレートで金と交換することになっていた。

このほか，ニューヨークが国際金融の中心地としてロンドンをしのぐ形で発展し，日々の貿易金融や資本取引におけるドルの比重が高まりつつあったことも，広義および狭義の信認を高めた。

国際通貨の適切な供給

すでにふれたように，金本位の下では国際通貨の供給は自然的あるいは技術的条件に左右されて，必ずしも適切に供給されなかった。金の採掘困難によって供給が不足すれば世界はデフレ気味となり，金鉱が発見され，金採掘の技術が進歩すればブームとインフレが起こった。この問題から逃れるためには金価格の引上げや引下げという方法もあったが，たびたび金価格の変更を行えば，通貨投機を引き起こし，金や金本位の信認を傷つける恐れがあった。しかし，これらの通貨供給にかかわる制約は，逆に覇権国が自己に有利なように通貨供給を左右することを防止するという望ましい一面でもあった。例えば，イギリスといえどもインフレ政策を長くつづければ国際収支の赤字が金の流出をもたらすため，インフレ政策をどこかで中止するという「金融節度」を守らなけ

ればならなかった。

旧 IMF 体制の下では支配的国際通貨は米ドルという信用通貨であったため，金本位の下で存在した通貨供給の制約は存在せず，アメリカの金融当局（財務省と連邦準備銀行）が財政・金融政策によって（国内通貨を含む）通貨供給のコントロールを行えばよかった。

具体的には，アメリカは当初，軍事援助や経済援助という形でドルを加盟国へ散布した。とくに，ヨーロッパの経済復興のためにアメリカが行った大規模な資金援助であるマーシャル・プランは有名である。アメリカはまた，加盟国が自国の産業や金融市場を保護しつつ，対ドル・レートを低め（安め）に釘付けし，国際収支や貿易収支の赤字を防ぐのを許した。加盟国はまた，自国の財政・金融政策を緊縮的に運営して国内にデフレをおこして国際収支の黒字を出し，ドルを外貨準備として蓄積することもできた。

IMF 体制の中心をなす国際通貨基金（IMF）の引出権や特別引出権も国際流動性の供給を増加させたが，その比重は大きなものではなかった。IMF は国際収支の赤字国へ短期貸付を行い，黒字国から赤字国への短期資金の還流を促進した。世界銀行もまた，先進工業国から発展途上国への長期資本の輸出を促進した。

国際収支の調整メカニズム

旧 IMF 体制の下での国際収支の調整メカニズムは国際流動性の供給と密接に結びついている。基軸通貨国からのドルの供給が多ければ多いほど，非基軸通貨国全体の国際収支は黒字傾向とな

るからである。現実の調整過程では両者は区別できないが，ここでは概念的に一応区別して，国際流動性の総供給量を一定とした場合の個々の国の調整メカニズムを説明する。ここではまた，対外収支不均衡を，国際収支（総合収支）の全体的不均衡と貿易（経常）収支の不均衡とに区別し，主として前者を問題とする。

　対外収支の不均衡という意味での国際収支赤字や黒字は，経常取引から生じる外貨の流出入と，資本取引から生じる外貨の流出入とを加えた総合収支が赤字か黒字かを意味する。したがって，赤字のときはその分だけ赤字国の外貨準備が流出し，黒字のときは増加する。見方を変えれば，総収入と総支出の差が黒字（マイナスならば赤字）である。収入と支出を経常取引に限定すれば黒字は経常収支の黒字となり，収入と支出が資本取引（資金の貸借）による資金の流出入も含む場合は総合収支の黒字となる。

　旧 IMF 体制下の調整メカニズムは，国際収支の赤字が発生したら，①財政・金融政策を引き締める，②IMF から一時借り入れる，①と②でなかなか不均衡が是正されないときは，③「基礎的不均衡」があると考えて為替レートを切り下げる，ただし，10％以上切り下げるときは IMF の承認を必要とする，というものであった。

　財政政策や金融政策の引締めは民間部門の購買力を減少させるから，総収入に対して総支出が減少し，赤字を減らす作用がある。とくに金融政策の引締め（公定歩合の引上げ，公開市場操作による通貨供給の縮小等）は国内金利を上昇させるから，短期的資本流入が生じ，それだけ国際収支の赤字の解消は早い。これに対し

財政政策の緊縮化，つまり政府支出の縮小あるいは増税は金利を引き下げる傾向をもつので，金融政策の引締めを伴わないときは資本の流出がおこり，経常収支の改善を資本収支の悪化が一部相殺する可能性がある。

為替レートの切下げ（円安）は外国品に対して自国品を安くするから，一般に輸出を伸ばし，輸入を増やす。しかし，当時はこの為替レートの変更は「基礎的不均衡」を是正する抜本的政策と考えられたが，本当は，財政・金融政策の調整がより根本的であって，これを伴わないときは為替レートの調整能力は限られたものとなる。

4 旧 IMF 体制の変質

1971 年のニクソン大統領の「新経済政策」によって，ブレトンウッズ体制の重要な一環をなした旧 IMF 体制に重大な変化が生じた。この重大な変化をとらえてしばしば「崩壊」という表現が用いられるが，崩壊したのはドルの金兌換を軸とする固定相場制である（1971 年から 73 年にかけてはスミソニアン合意という形で，固定相場制の存続を前提として為替レートの修正とレートの釘付けの努力が払われた。しかし，73 年のオイルショックと共に主要国通貨の全面フロートへの移行を余儀なくされた）。しかし，原則として自由な為替取引（通貨交換性）はその後も存続しており，GATT 体制という自由貿易体制も少なくとも現在まで大部分生きのびている。しかし，旧 IMF 体制の重要な部分が崩

壊したことは体制の変質を意味する。以下，どのような要因によって変質が生じたかを上記の3つの機能別にみてみよう。

信　認

　戦後のブレトンウッズ体制の成功によってもたらされたヨーロッパ諸国と日本の経済成長は不均等発展という形をとった。この結果，アメリカの相対的地位は低下した。また，アメリカはベトナム戦争を遂行する一方，経済政策を拡大的かつインフレ的に運営した結果インフレ体質を悪化させ，相対的地位の低下に拍車をかけた。

　戦後のブレトンウッズ体制の成功とアメリカの相対的地位の低下の半面は，アメリカを主力とした世界的経済統合の進展であった。開かれた巨大でダイナミックなアメリカ市場を中心に，貿易量は各国の GNP をはるかに上回って成長した。アメリカの多国籍企業はヨーロッパ諸国や途上国に直接投資を通じて進出し，他方ではアメリカとヨーロッパの多国籍銀行による世界の金融統合も進展した。ニューヨークを中心とする国際金融も世界経済の発展に貢献しつつ，自らも大きく飛躍した。しかしニューヨーク以上の発展を示し，かつニューヨークの地盤沈下をもたらしたのは，ニューヨークに比べて規制のないユーロカレンシー市場であった。これらの多国籍企業や銀行による世界経済の一層の統合と発展において，ドルとアメリカ企業は中心的役割を果たした。例えば，ユーロカレンシー市場の銀行の約半分はアメリカの銀行であったし，ユーロカレンシーの約9割はユーロダラー（ユーロダラーと

は，アメリカの外部に存在する銀行〔米銀支店を含む〕に預けられているドル預金のことである。種々の定期預金が大部分である）であった。また，世界の国々が公的準備として保有する国際通貨において米ドルは圧倒的地位を占めた。

　以上が 1971 年までの状況であるが，これはドルの信認にとって 2 つの相矛盾する影響を与えた。アメリカの相対的地位の低下とインフレ体質の悪化は広義の信認を弱めた。しかしそれに先立って，ブレトンウッズ体制の成功は米ドルおよびユーロダラーの国際通貨としての利用をますます広範にした。つまり，現実の国際金融において最も頻繁に利用される通貨としてのドルの地位は高まっていたのである。

　しかし，ドル体制の成功によるドル保有の拡大自体はいわゆる「流動性のディレンマ」をもたらした。すなわち，アメリカ以外の国々が保有するドルがアメリカの保有する金を上回りはじめたのである。すべての人がその保有するドルを金に換えようとすれば，アメリカは金兌換を停止せざるを得ないことが次第に明らかになったのである。金の対ドル価格上昇の予想が生じ，ドル売り金買いの投機が繰り返される中でドルの信認は低下した。

　さらに 1960 年代後半には，アメリカの国際収支の赤字が「ドルのたれ流し」という形でつづき，国際通貨の過剰供給をもたらすようになる。ヨーロッパ諸国と日本はこれを，アメリカからの「インフレの輸出」とよび非難した。ドルの過剰な供給はドルの金兌換を困難にしただけではなく，他の通貨，とくにマルク，円，スイス・フラン等に対してもドルの価値が下落するという予想を

生み出した。1960年代末には，ドルを売ってこれらの強い通貨を買う大規模な通貨投機がしばしば発生するようになった。この投機的資本移動の基盤はさきにふれたユーロカレンシー市場，ニューヨーク市場等であった。

　これらの諸問題に対してアメリカはいくつかの対策を講じた。結論から言えば，それらは問題解決の引きのばしには役立ったが，いずれも根本的解決にはならなかった。根本的原因はアメリカの低成長とインフレ促進的経済政策にあったからである。

　金をめぐる問題に対しては，アメリカは1960年代中頃に，主要工業国の中央銀行に手持ちのドルを金に兌換しないことを合意させた。また，金を主要国から拠出させてロンドンにいわゆる「金プール」を創設し，金価格の上昇と乱高下を制御しようとした。

　アメリカの国際収支赤字に対しては，アメリカの多国籍企業による資本の流出が主因であることに着目して，資本輸出に自主的規制を要求し，その効果が弱いことが判明すると，いわゆる「利子平衡税」（アメリカと外国との間の金利差が資本流出の原因であるから，この金利差が税引後でみてなくなるように海外からの利子配当に税金をかけたもの）を課して資本流出を削減しようとした。しかしこれらのドル防衛政策は，アメリカの資本市場が基本的に自由で開放された市場であったため，多くの抜け道が存在し，効果はほとんどなかったと現在では考えられている。

国際流動性の供給と国際収支調整メカニズム

すでに触れたように，旧 IMF 体制の調整メカニズムは，国内の財政・金融政策の調整と為替レートの調整および IMF の短期融資であった。これらのメカニズムのうち，IMF 融資は有効ではあったが量が小規模であり，また経済政策の調整も為替レートの調整も 1970 年代初頭には行きづまってしまった。以下，その原因を簡単に述べよう。

1 財政・金融政策の調整

すでに述べたように，財政・金融政策が拡大的（インフレ的）であればその国の総支出は総収入を超えて拡大し，国内ではインフレ，対外的には国際収支の赤字が生じ，為替レート切下げ（減価）の圧力が生じる。財政・金融政策が緊縮的であれば，赤字が減るか黒字が発生する。

第二次世界大戦後の資本主義諸国の経済政策は完全雇用維持を最大目標とし，拡大的に運営された。福祉政策の充実もさまざまな程度に追求されたが，これも財政支出の増加をもたらした。もう一つのインフレ要因は，冷戦の圧力の下に軍事支出が GNP のかなりの比重を占めつづけたことである。これらの諸政策の結果，西側工業諸国は大なり小なりインフレ的体質を持つに至ったが，とくに顕著であったのがアメリカであった。例外的であったのは日本と西ドイツであった。西ドイツは，戦間期のハイパー・インフレーションの苦い経験から徹底して物価安定に重点をおく政策を追求した。日本は当時中進国であり，経済成長率が他国より高かったため，政府支出の対 GNP 比をある限度に低くおさえるこ

とができた。軍事支出の対 GNP 比が格段に低く，また福祉国家
への移行が遅れたのも政府部門の肥大化の防止に役立った。

　アメリカの場合は，西側諸国の安全保障体制の盟主として安全
保障関係の出費が格段に多かった。いわゆる覇権国の費用負担で
ある。とくに 1960 年代中頃から深刻化したベトナム戦争はこれ
らの出費をさらに大きなものとした。他方，アメリカはアメリ
カ・ケインズ派の影響の下で完全雇用維持のため，財政・金融政
策を積極的に展開し，次第にインフレ体質を悪化させた。アメリ
カのインフレが本格化したのはベトナム戦争の本格的拡大期に，
黒人問題等への対策として社会福祉支出を同時に拡大したためで
ある。

　アメリカの国際収支赤字を是正するにはその財政・金融政策を
緊縮化し，アメリカの総支出を減らすことが必要であった。非基
軸通貨国である西欧諸国と日本は，アメリカがこのような緊縮的
経済政策をとることを要請したが，アメリカはこれを拒否した。
緊縮的政策はアメリカ国内にデフレをひき起こし，失業を増大さ
せる危険があり，これは，その時の政権に対する国民の人気を落
とし，政権の維持が困難になる恐れがあったからである。アメリ
カは覇権国として，通貨体制のみならず貿易体制や安全保障体制
についてもすでに過大な負担を負ってきたと考え，アメリカの赤
字是正のコストは主として黒字国が支払うべきであると主張した。
すなわち，黒字国（日本と西ドイツ）に対し，円やマルクの切上
げを要求した。基軸通貨国と非基軸通貨国との間に，国際収支の
調整をどちらが行うべきかをめぐって対立が生じたのである。こ

の対立は，赤字国（アメリカ，イギリス，フランス）と黒字国（日本，西ドイツ）の対立と重なり合っていた。

アメリカが緊縮的経済政策という正攻法によってドルの供給過剰を抑えることを拒否したとき，IMFや他の加盟国にはアメリカに正攻法の調整を強制する力はなかった。IMF体制はアメリカの力を支柱として構築され，アメリカが絶対的優位を持ちつづけることが暗黙の前提とされていた。したがって，アメリカ（基軸通貨国）という特殊な加盟国が赤字国へ転落したとき，IMFがどのような手続きでアメリカに調整を義務づけるかは，経済政策の緊縮化という一般論以外には明らかでなかった。他の加盟国の場合は，赤字をつづければ固定相場制の下では外貨準備が払底するので何らかの調整を迫られた。その調整を一定のルールの下で促進するのがIMFの任務であった。アメリカは，国内通貨が支配的国際通貨であるため，国際収支赤字を国内通貨の発行によって言わば無限につづけられる立場にあったのである。

基軸通貨国の無限のドルの乱発に対する制度上の歯止めがドルの金兌換であった。しかし，IMF体制の存立そのものがアメリカの体制維持の意志と力に依存して発足したものであったため，金兌換そのものがアメリカの善意にもとづいて維持される性質のものという一面があった。したがって，アメリカが金兌換を停止したり廃止したとき，ドルの信認は傷つきはしたが，国際金融システムそのものはドルを中心に大過なく運営されるという事情は変わらなかった。

2　為替レートの調整

　旧 IMF 体制の金融為替本位の下で存在した国際収支調整の非対称性は，為替レートの調整でも存在する。アメリカは，ドルの供給高（名目）は自分の好む水準に保つことができるが，為替レートを選ぶことはできない。何故なら，非基軸通貨国が自国の通貨を固定レートでドルに「釘付け」するわけであるから，基軸通貨国としてのアメリカは「釘付け」される側にあり，自分から積極的に為替レートを選ぶことができないのである。この意味ではアメリカは，国際収支の赤字を是正するためドルの切下げ（減価）を自ら行うことができないという立場にある。

　他方，アメリカが選ぶことができる為替レートは1つだけであった。それはドルと金の為替レートである。しかし，旧 IMF 体制の下でドルの利用が一層普及し，金ドル本位はドル本位に近いものになりつつあった。仮にアメリカが金のドル表示価格の引上げ，つまりドルの（金で測った）切下げを行っても，他のドル保有国が自国通貨と金の為替レートを一定に保つことを選択し，自国通貨の対ドル・レートの切上げに踏み切らない限りアメリカの為替レート調整は実現しない。言いかえれば，アメリカが金の対ドル・レートの引上げ（ドルの切下げ）を宣言した時，他の国々もアメリカに追随する形で金の自国通貨建て価格の引上げ（自国通貨の金に対する切下げ）を行い，結果としてドルと各国の通貨との為替レートは以前と同じ水準にとどまる可能性が強い。

　各国が対米競争力を維持したいと考えるかぎり，アメリカによる金のドル建て価格引上げというドルの切下げは各国の追随に

よって無効となる可能性を持つ。

　もう1つの旧IMF体制の弱点は，アメリカを除く赤字国の国際収支調整メカニズムは十分考慮されていたにもかかわらず，黒字国の黒字是正のメカニズムを十分備えていなかったことである。すなわち，日本や西ドイツのような大幅黒字国の出現は予想されていなかった。旧IMF体制の下ではIMFは為替レート切下げのイニシアティブをとらず，加盟国がとることになっていた。しかし，為替レートの修正がIMF体制の視点から好ましくないときは，IMFはその修正を承認しないという形で阻止することができた。赤字国の場合は固定相場制の下で外貨準備が流出しつづけるため，経済政策の修正と合わせてレートの切下げに着手せざるを得なかった。しかし現実には，為替レートの切下げは当該国の経済政策の失敗を認めたものと解釈されることが多かった。このため，政府の威信を傷つけないよう切下げをできるだけ引き延ばす傾向が加盟国にみられた。それ故，赤字国の外貨が大幅に減少し，切下げが必要であることが誰の目にも明らかになり，しばしば投機的資本移動が発生した。大量の資本流出とともに外国為替市場の閉鎖等の混乱の中でレートの切下げがやっと実施されることが多かった。

　黒字国の場合は黒字（ドル高）は望ましく，不均衡ではないという考えが一般に強く，為替レートの切上げという調整を行うことが少なかった。IMFは切上げを勧告できても強制することはできなかった。黒字国であった日本，西ドイツ，スイス等のうち，日本は円の切上げに抵抗した。西ドイツは，黒字の流入によるイ

ンフレの輸入を避けるため，マルクの切上げをある限度内で時ど
きおこなった。

赤字国とくにアメリカは，黒字国にレートの切上げを含む国際
収支調整を要求したが，黒字国は「黒字国の経済政策は健全であ
り，調整は赤字国が行うべきである」と主張した。このように，
黒字国と赤字国が国際収支の調整をめぐって対立し，この対立を
円滑に解消するメカニズムを旧 IMF 体制は十分もたなかった。

結局，アメリカは旧 IMF 体制の下では為替レートによる基軸
通貨の国際収支調整がうまく働かないため，ますます競争力を失
い，貿易赤字も拡大すると考えた。1970 年代初めには，アメリ
カの市場が西欧や日本より自由で開放されているという状況があ
り，旧 IMF 体制の存続がアメリカの産業が競争力を失う過程を
加速化することを恐れたのである。

またアメリカは，通貨・貿易体制という公共財のほかに西側の
安全保障という公共財の費用負担も過大であると考えはじめ，西
欧諸国や日本への一部肩代りを求めていた。このため，アメリカ
は黒字国および旧 IMF 体制の国際収支調整メカニズムに強い不
満を持つに至った。

他方，その他の加盟国の中の工業諸国，とくに西欧と日本は，
アメリカの赤字によるドルの過剰供給とそれによるインフレの輸
出に強い不満を持った。とくに，金兌換の事実上の停止がドルの
信認を低下させ，西ドイツと日本はアメリカからの通貨切上げの
圧力に抵抗した。非基軸通貨国のディレンマは，自国通貨の切上
げを拒否すればアメリカからの過剰ドルとインフレを受け入れな

ければならず，通貨を切り上げれば対外競争力を弱め，同時に，外貨準備の減価と国際通貨の価値の不安定化を甘受しなければならないことであった。

この行きづまりを打開するため，アメリカは金兌換の最終的廃止，一時的輸入課税の発動によるドルの（他通貨に対する）大幅切下げを一方的に断行した。いわゆるニクソン・ショックである。このショック療法により，アメリカの望んだ為替レートの調整はいわゆる「スミソニアン合意」という形で実現し，円やマルクの大幅切上げ（増価）がおこなわれたが，IMF と各国の抵抗のため，切上げ幅はアメリカの望んだものより小幅であった。

世界的金融統合の進展によってユーロカレンシー市場やニューョーク市場から大量の資金が通貨投機に動員されたことは，すでにふれた。「スミソニアン合意」による調整は不十分とみなされ，1973 年の第一次石油ショックの発生とともに「均衡為替レート」の水準は一層不透明となった。「スミソニアン合意」の為替レート体系は均衡レートから乖離しているとみなされ，大規模な投機的資本移動が再び発生した。これにより，主要国の通貨は一時的に全面フロートへ移行を余儀なくされた。より大きな為替調整を望むアメリカは本格的変動相場への移行を主張し，一時的全面フロートは次第に中長期的「体制」として位置づけられるに至った。全面フロート（ただし，すべての発展途上国は米ドル，フラン，ポンド等にその通貨を固定したままである）という，IMF にとっては本来的に異常な事態も，1976 年の IMF 総会においては，正常な状態として追認されるようになった。

5 管理フロートの問題点

フロートへの移行

　全面フロートの下では，為替レートは外国為替市場の需要と供給の実勢によって決定される。この市場の需給の実勢とは当然投機的資本移動も含むものであったが，一般には，市場の実勢は真の均衡為替レートに近いものをもたらすと信じられた。ドルの大幅な切下げ（ドル安）を望み，変動相場の主唱者となったアメリカはとくにそうであった。為替レートの基本的な動向は市場にまかせるとしても，不必要な乱高下は「ならす」ことが必要であり，このため部分的市場介入が行われた。このためフロートは「管理フロート」とよばれるに至ったが，介入の強いものを「ダーティ・フロート（汚いフロート）」とよび，介入のないものを「クリーン・フロート」とよんだ。

管理フロートの限界

　管理フロートへの移行とそれによるドルの大幅減価は，過剰ドルを消滅させ，アメリカによるインフレの輸出を停止させた。しかし，アメリカや他の国々が望んだように，アメリカの対外競争力の低下を防いだり，アメリカの貿易赤字と黒字国の貿易黒字を大幅に改善することはなかった。アメリカの競争力の低下はより深いかつ中長期的要因にもとづくものであり，アメリカのインフレ体質もレーガン政権の登場までは抜本的に克服されなかった。

アメリカの貿易赤字や日独の貿易黒字は，為替レートよりも国の貯蓄・投資バランスと財政・金融政策のあり方にその根本原因があったからである。

　すなわち，アメリカ国民が多消費型（低貯蓄型）であって，輸出するよりも国内でより多く消費する傾向を強めたことや，インフレと財政赤字が経常収支や貿易収支の赤字を生む長期的原因であった。アメリカ企業が多国籍企業化して製造業の生産拠点を多く海外へ移したことも輸入増大，輸出減少につながった。

　1970年代と80年代におこったドルの対外価値（為替レート）の激しい変動は「貿易不均衡」の是正にはあまり役立たないまま，ドルの狭義と広義の信認をさらに弱めた。ドルの激しい乱高下によって通貨体制はその機能全体を低下させつつある。国際通貨におけるドルの相対的地位は1960年代の9割以上から70〜80年代には6割まで低下した。「貿易不均衡」をめぐる摩擦は激化し，金融市場の開放をめぐる金融摩擦，個々の産業や製品をめぐる対立が激化している。この中で，為替レート自体も対抗手段となりつつある。そして，現通貨体制のディレンマは，アメリカの経済面での相対的地位の低下が著しいにもかかわらず，安全保障面ではアメリカが依然としてソ連に対抗しうる唯一の超大国であり，通貨面においても，ドルにとってかわる支配的国際通貨がいまだに存在しないということである。

　しかし同時に，これらの摩擦や為替レートの激しい動きは，まさにブレトンウッズ体制の成功により世界経済の産業的・金融的統合による相互依存が深まった結果でもあることを忘れてはなら

ない。すなわち，アメリカ，日本，西欧諸国はそれぞれ経済統合にもとづく国際分業の深化から多大の利益を得ており，経済摩擦はこの共同利益の再配分をめぐる争いであるという一面を持っているのである。

〔参考文献〕

R. ハロッド（堀江薫雄監訳）『国際通貨改革論』日本経済新聞社，1966 年

鬼塚雄丞「動揺つづく国際通貨体制」（『季刊現代経済』1979 年冬号）

同「1980 年代における国際経済秩序と国際通貨体制」（大平内閣対外経済政策グループ『対外経済政策の基本』大蔵省印刷局，1980 年）

坂本正弘『パックスアメリカーナの国際システム』有斐閣，1986 年

R. マッキンノン（鬼塚雄丞・工藤和久ほか訳）『国際通貨・金融論』日本経済新聞社，1985 年

L. B. Yeager, *International Monetary Relations*, Harper & Row, 1966, pp. 251-496.

人口と食糧の
グローバル・イシュー

はじめに

　国連人口活動基金（UNFPA）は『1987年世界人口白書』を発表し，1987年7月には世界人口は50億人を突破し，このまま年間8千万人のペースで増え続ければ，2022年には80億人になると予測している。しかも人口増加分の90％は途上国である。このように，20世紀後半の世界人口は「人口爆発」と形容されるほどの勢いで増加しており，人口問題はまさに人類が地球上に出現して以来，はじめて直面する最大の問題のひとつであると言えよう。それは，以下のような解決困難な諸問題を含んでいると考えられるからである。

　①世界人口は望ましい水準にコントロールできるのか，また，それを可能にする手段とは何なのか。②この増加した人口に食糧の適切な供給は可能であるのか。③地球上に賦存している資源・エネルギー量はこの人口増加を賄う上の制約とはならないのであ

ろうか，制約があるとすれば，それを打破する技術進歩の将来は明るいだろうか。④食糧の増産に必要な化学肥料や殺虫剤の大量使用が各地域の自然環境の破壊を招くことなく，増大する人口を維持することは可能であろうか。このように複雑に連関する問題をいかに解決するかが，地球的規模で将来のわれわれの上に重くのしかかってきているのである。

　しかも，この増加人口の殆どが発展途上世界に属するという現実があり，これが第三世界の生産的投資の足かせとなり，1人当り所得の増加を結果する経済発展を遅延させてしまうことが憂慮されている。それは，今日でも難しい南北問題の解決をさらに遠くに追いやってしまい，南北間の緊張を拡大させている。西暦2025年に予想されるように，世界人口の2割にも満たない一握りの豊かな先進諸国と貧しい発展途上世界の併存，および人口増加率の異なる隣接する発展途上諸国の存在は地政学的に大きな影響を与え，世界の政治・経済の不安定度を高めるとみられている。このように複雑で多元的な問題がまさに今日の「人口問題」と呼ばれる所以である。

　本章では，まず，現在の世界の人口増加率が歴史的趨勢からみてどれほど異常であるかを概観し，問題の大きさを把握する。さらに，①産業革命後のヨーロッパで経験した「人口転換 (demographic transition)」が現在の発展途上国でも比較的短期間のうちに起こりうると期待できるか，②もし，経済発展の経過にともなって発生した歴史的な人口転換の実現を待てないとすれば，第三世界の人口抑制政策として何が有効であり，しかも各国の主

5-1表 世界人口の推移

年	推定人口	推定年平均増加率(%)
紀元前約10000年	5,000,000	
紀元1年	250,000,000	0.04
1650年	545,000,000	0.04
1750年	728,000,000	0.29
1800年	906,000,000	0.45
1850年	1,171,000,000	0.53
1900年	1,608,000,000	0.65
1950年	2,486,000,000	0.91
1970年	3,632,000,000	2.09
1980年	4,390,000,000	1.7

(出所) Carr-Saunders in W. S. Thompson and D. T. Lewis, *Population Problems*, N. Y. McGraw Hill, 1965, U. N., *Demographic Yearbook*, various issues.

権を侵害せずに，先進諸国あるいは国際機関はいかなる国際協力ができるのかを考察する。そして最後に，③国連の人口予測を検討しながら，予想される21世紀の世界人口と，この人口増加に付随して派生する環境問題と食糧問題とを考えてみたい。

1 世界人口の歴史的推移

約200万年前に人類がこの地球上に出現して以来，採集狩猟経済から農業革命による食糧生産経済が始まったと考えられる紀元前1万2千年頃の世界人口は500万人くらいであったと推定されている（5-1表）。しかし，この食糧生産経済の開始は，利用可能な土地の単位当りの生産性を格段に高め，食糧の増産による人口の急激な増加を可能にし，地域および地球レベルの人口収容能力の拡大に道を開いた。もっとも，定住化の拡大によるこの人口増加は，寄生虫病の流行や狭い居住地域の衛生環境の悪化から死者の増加を誘引したとも想像される。さらに，人口増加の結果，

5 - 2表　世界人口の増加率および人口倍増期間

期　　　間	推定人口増加率(%)	倍　増　年　数(年)
人類の出現から 歴史時代の初めまで	0.02	35,000
1650 - 1750	0.3	240
1850 - 1900	0.6	115
1930 - 1940	1.0	70
現在（1980年代）	1.8	40

(出所)　5 - 1表に同じ

生活圏が拡大し，燃料資源採取による木材の伐採や耕作地の外延
的拡大が起こり，水害の発生や河川汚染の高進などによる自然環
境の破壊も進んだと思われる。

　世界人口は紀元1年には2億5千万人に増加してはいるが，こ
の間の年平均人口増加率は0.04％である。この増加率は1650
年まで維持され，同年の世界人口は5億4500万となった模様で
ある。それに続く産業革命までの100年間の増加率はそれまでの
7倍と，驚異的な伸びを記録した。この時以降，世界人口は着実
に増加の速度を早めてはいるものの，1950年までは1％の水準
を上回ることはなかった。

　このように，世界の人口・経済史の上では1％をはるかに下回
る人口増加率が長い期間支配的であったと考えられる。しかしな
がら，1950年から70年にかけての世界人口の伸び率は，人口史
のうえからは天文学的とも思われる2％台に突入した。同年の世
界人口36億人が72億人へと倍増するのに要する期間は，この
増加率の下ではわずか35年と推計される。まさに「人口爆発」
が起こったのである。このことは，世界人口が倍増に要した期間
の急速な短縮化からもうなずける（5 - 2表）。国別にみるとばら
つきが大きく，3％台の高率の人口増加を経験している諸国も散
見でき，増加率は一様ではない。特に，中南米やアフリカ地域の

	人口の年平均 増加率（%）			人口 （百万）			仮想静止 人口 （百万）	純再生産 率1の推 定達成年
	1960-70	1970-82	1980-2000	1982	1990	2000		
低所得国	2.3	1.9	1.7	2,260	2,621	3,097		
バングラデシュ	2.5	2.6	2.9	93	119	157	454	2035
インド	2.3	2.3	1.9	717	844	994	1,707	2010
中国	2.3	1.4	1.0	1,008	1,094	1,196	1,461	2000
パキスタン	2.8	3.0	2.7	87	107	140	377	2035
中所得国	2.6	2.4	2.2	1,163	1,404	1,741		
インドネシア	2.1	2.3	1.9	153	179	212	370	2010
ナイジェリア	2.5	2.6	3.5	91	119	169	618	2035
ブラジル	2.8	2.4	2.0	127	152	181	304	2010
メキシコ	3.3	3.0	2.3	73	89	109	199	2010
市場経済工業国	1.1	0.7	0.4	723	749	780		
イタリア	0.7	0.4	0.1	56	57	58	57	2010
イギリス	0.6	0.1	0.1	56	56	57	59	2010
日本	1.0	1.1	0.4	118	123	128	128	2010
フランス	1.1	0.5	0.4	54	56	58	62	2010
西ドイツ	0.9	0.1	-0.1	62	61	60	54	2010
アメリカ	1.3	1.0	0.7	232	245	259	292	2010
東欧								
非市場経済国	1.1	0.8	0.6	384	407	431		
ソ連	1.2	0.9	0.7	270	288	306	377	2000

（出所）　世界銀行『世界開発報告 1984』

国々で高い増加を経験している（5-3表）。

2　人口の歴史的経験と発展途上国

　ヨーロッパ地域の人口の推移を，イギリスのケースを例にとって，人口転換の歴史に即して考えてみよう。

　一般に，ヨーロッパでは，人口千人当り35人（35／00）の高い出生率と，人口千人当り30人（30／00）の比較的高い死亡率から成る安定した低成長期である「高い動揺期」（人口増加率0.5%）が産業革命時点まで続いたといわれる（第1期）。その後，

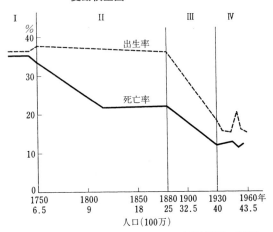

5-1図　イギリスにおける出生率と死亡率の
　　　　変動模型図

（出所）　館稔・黒田俊夫『人口問題の知識』日本経済新聞社，1976年

1750年に始まる産業革命の進捗による所得の増加や，公衆衛生
と食事内容の改善を伴った近代化の進展によって，平均余命の引
上げを結果した死亡率の顕著な低下が起こった。この後に，従前
同様の高水準の出生率と相まった急激な人口増加期である「初期
膨張期」が到来した（第2期）。

　この第2期は人口転換の始まりを画するもので，1750〜1880年
頃までに当たる。S. クズネッツのいう近代経済成長の本格化に
よる「後期膨張期」は，出生率の減退よりも加速度的に死亡率が
低下したために人口の拡大が起こり，1880〜1930年頃まで続く
（第3期）。1930年以降は，出生率も死亡率もともに低下して人
口の増加が低位均衡する増加率1%以下の「低動揺期」が出現し，
現在にいたっている（第4期）。

　このように，死亡率の減少が出生率の低下を誘引して人口の増

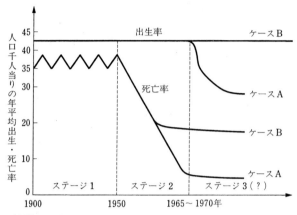

5-2図　発展途上国の人口動態模型

（出所）M.P.Todaro, *Economic Development in the Third World*, Longman, 1981.

加を低位均衡水準に抑えるまでには，優に100年を超える期間を
必要としたことが理解できよう（5-1図）。現在の発展途上諸国
の場合には，ヨーロッパの「初期膨張期」に当たる第2期が第一
次世界大戦後の1920〜30年代に始まった。しかしその後，疫病
の克服手段の発見，抗生物質の導入，マラリヤ予防剤の散布，ワ
クチン使用の増加等，保健衛生技術の伝播によって1950年代以
降，死亡率の低下は加速化した（5-2図）。しかも，この間，多
くの発展途上国では経済水準の顕著な改善はみられなかった。こ
の点は，経済水準の向上をともなった死亡率の低下を経験したヨ
ーロッパとは大きく異なる点である。

　発展途上国の現在の人口変化の状況を，以下の7つにまとめて
みよう。

　(1)　前述のように，戦後の発展途上国の人口増加は，経済史お
よび人口史上過去に例のないものであった。過去20年間に，中

5-4表　都市化：人口1千万以上の都市への集中（単位：100万）

1950年			
ニューヨーク		ロンドン	10.4
およびニュージャージー州北部	12.2		

1975年			
ニューヨーク		ロサンゼルス	
およびニュージャージー州北部	19.8	およびロングビーチ	10.8
東京および横浜	17.7	サンパウロ	10.7
メキシコシティ	11.9	ロンドン	10.4
上海	11.6		

2000年			
メキシコシティ	31.0	マドラス	12.9
サンパウロ	25.8	マニラ	12.3
東京および横浜	24.2	大ブエノスアイレス	12.1
ニューヨーク		バンコクおよびトンブリ	11.9
およびニュージャージー州北部	22.8	カラチ	11.8
上海	22.7	デリー	11.7
北京	19.9	ボゴタ	11.7
リオデジャネイロ	19.0	パリ	11.3
大ボンベイ	17.1	テヘラン	11.3
カルカッタ	16.7	イスタンブール	11.2
ジャカルタ	16.6	大阪および神戸	11.1
ソウル	14.2	バグダッド	11.1
ロサンゼルス			
およびロングビーチ	14.2		
カイロ，ギザおよびインババ	13.1		

（出所）　5-3表に同じ

所得国などの一部の国では出生率の低下に基づく人口増加率の低下が見られたものの，ラテンアメリカ，南アジアおよびアフリカ地域では依然として高い増加率を経験している。

　(2)　1960年代央の高い出生率と乳幼児死亡率の低下の結果，発展途上国の人口年齢構成は15歳以下の層が人口の40％に達している。これは，労働力人口（15歳から64歳）に占める15歳未満の若年従属人口比率が極めて高いことを意味し，それだけ発

展途上国の経済的負担となっている。

(3) 途上国内および国外への移住は人口増加の真の解決策にはならない。出生率と死亡率の差である高い自然人口増加率は，農村から都市への労働移動以上に都市の人口急増の原因となっている。このために世界最大級の都市が今後ますます途上国に集中し，ここに発展途上国の都市化という大きな問題が表面化する（5 - 4表）。しかし，依然として，増加した人口を吸収するのが農村地域であることは自明である。発展途上国全体の農村人口は 21 世紀央までに，さらに 10 億人が増加すると予測されている。18〜19 世紀のヨーロッパから新大陸やアルゼンチン，オーストラリアおよび南アフリカなどへの移民率と比較して，現在の途上国が人口増加の安全弁として移民に大きく期待することは非現実的である。ちなみに，アジア・アフリカからの移民は 1970 年代に同地域の全人口の 1% 未満にすぎなかった。

(4) 現在の出生率および死亡率と所得の間には逆相関の関係が多く見られる。しかし，低所得の貧しい国でも，保健衛生サービスの供給と利用，成人女性が育児以外の独立した地位を享受できる程度，および家族計画サービスの貧困層へのアクセス等が所得以外の重要な要因として機能していることが，近年の経験から分かってきた。

(5) 所得と教育面では，多くの途上国はまだ当時の先進国の水準に達していないものの，途上国の平均寿命は現在の先進国の 19 世紀末から 20 世紀初期にかけての水準を上回っている。さらに，出生率の低下速度も先進国の経験よりも早かった。

(6) 死亡率はあらゆる国で低下し，また出生率も低下し始め，人口転換の第4局面の到来が期待される。しかし，この楽観論にもかかわらず，一部の地域や国では，比較的高い水準で出生率の下げ止まり現象が起こっており，人口増加の歯止め効果を弱めることが懸念されている（5‐2図）。

(7) 死亡率のさらなる低下の，今後の人口増加に及ぼす影響は，50年代や60年代に比べて，はるかに小さいであろう。それは，既に死亡率がかなり低下していることに加え，出生率の低下も同時に起こっているからである。

3 人口急増とその経済的影響

人口増加によってもたらされる影響は発展途上国ごとに異なってはいるものの，一般的には，発展段階の低い途上国ほど経済開発の上で重荷となっていると言える。

初等・中等・高等教育の拡充が進み，すでに教育水準も高く，基本的な経済・社会インフラストラクチャー投資もかなり進み，政治・経済制度も安定している国々では，人口増加に対する処理能力も高くなる。韓国，台湾，香港，シンガポールなどのアジアNIESと呼ばれる国々は天然資源基盤に欠け，人口密度が高いにもかかわらず人口問題が顕在化していないのが，この好例である。ASEAN諸国のうち，マレーシアやタイなども最近ではこのグループに入りつつあると思われる。しかも，これらの諸国では人口増加そのものが低下し，経済成長の果実が1人当り所得の増加

となって表れてきている。

　これに対して，未開発の天然資源や未耕作地を有する国々では潜在的な人口扶養力は大きいと考えられる。しかし，未利用資源の開発に必要な教育の普及や職業訓練を通じた人的資源開発投資と管理面の組織化は，人口の増大によって一層困難となっている。実際，未利用地の開発には道路や通信網の創設などの補完的な巨額のインフラストラクチャー投資が伴わなければならない。それだけに，人口増加は資源賦存に恵まれている国でも開発の障害となるのである。

　さらに，未開発地や天然資源に乏しいバングラデシュ，インドネシアのジャワ島のような国や地域では，急増する人口に食糧の増産を通じて対処することは極めて困難である。こうした地域では，人口増加率の抑制と並んで，農業および食糧生産上の技術革新や要素投入の拡大による単位面積当りの生産性を向上させることが可能かどうかが，将来の食糧供給の改善に重要な鍵を握っている。アジア NIES 諸国のように，工業化による工業生産物の輸出の道が開かれるならば，稼得した外貨を支払うことにより，国内生産の不足分を海外からの農産物の輸入で補うことも可能とはなる。しかしこれとても，工業生産を軌道に乗せて世界市場に輸出が可能となるまでには工業生産投資や人的資源の開発に多額の資金を必要とし，短期間にこれを実現することは現状からは極めて困難である。まさに，人口の急激な増加が経済開発への道のりをより険しくしていると言えよう。

　つぎに，人口の増加がマクロ経済と農業生産にいかなる影響を

与えるかを検討してみよう。

どのような経済であっても，将来の生産を拡大して豊かになろうとするならば，今日の消費を犠牲にして明日の生産のために投資をしなければならない。この投資の源泉は国内貯蓄である。

一般に，国内貯蓄の最大シェアを構成する家計貯蓄は，人口増加による扶養負担の増加（消費の増加）により減少すると考えられる。しかし，この見解にたいして，最近では，途上国における扶養負担の増加と貯蓄の減少との間に明らかな相関は検出できないと言われている。だが，高い人口増加率が貯蓄増加の制約要因となっていることには変りない。

この統計上の理由は，途上国内の所得分配の不平等を反映して，貯蓄の主体が比較的少数の富裕階層によって占められているからである。しかも，この階層に属する家庭の子供の数は少ない場合が多く，追加的な子供の扶養負担が貯蓄に与える影響が小さい。これに反し，途上国の大多数の貧困家庭には貯蓄は殆どない。このために，人口増加と貯蓄との間の統計上の相関が小さくなると想定される。さらに，途上国では全国を網羅した金融制度が未整備・未発達なために，貯蓄可能資金の吸収が進まず，国民所得統計上に表れてこないことも一因している。また，貧困家庭では，将来の稼ぎ手としての役割と両親の老後保障の期待から，子供そのものを「貯蓄」と見なしていることも，両者の相関を低くしていると考えられる。

前述の人口増加と貯蓄の問題が貯蓄の供給サイドの分析とすれば，人口増加が人的資本を含めた資本の「深化」と「拡張」に与

5-5表 食糧生産の年平均伸び率 (地域別, 1960-80年, %)

地域または 国別グループ	総 量		1人当り	
	1960-70	1970-80	1960-70	1970-80
開発途上国	2.9	2.8	0.4	0.4
低所得	2.6	2.2	0.2	-0.3
中所得	3.2	3.3	0.7	0.9
アフリカ	2.6	1.6	0.1	-1.1
中東	2.6	2.9	0.1	0.2
ラテンアメリカ	3.6	3.3	0.1	0.6
東南アジア[a]	2.8	3.8	0.3	1.4
南アジア	2.6	2.2	0.1	0.0
南ヨーロッパ	3.2	3.5	1.8	1.9
市場経済				
工業国	2.3	2.0	1.3	1.1
非市場経済				
工業国	3.2	1.7	2.2	0.9
世界	2.7	2.3	0.8	0.5

(注)　a）中国を除く
(出所)　5-3表に同じ

える影響の検討は，貯蓄すなわち投資の需要サイドの分析である。

　従来からの所得水準を維持するためには1人当りの資本水準を維持しなければならない。人口の急増は，1人当りの資本の水準の維持に必要な投資活動を付随する。これは資本拡張 (capital widening) と呼ばれるものである。特に，人的資本の水準維持からは，教育機会の提供とそのための教育支出の拡大や保健衛生サービスの拡充が必要となり，この面からの投資需要が大きくなる。この結果，投資資金の制約から生産的投資への支出の削減を招来し，経済成長が緩慢になってしまい，人口に足を引っ張られる状態に陥る。対照的に，人口増加率が低い国では，1人当り資本の増加をもたらす「資本の深化 (capital deepening)」が促進され，生産性の向上への機会が大きくなる。すなわち，所得が増大するためには投資（＝貯蓄）の成長率が人口のそれよりも早く，資本の深化を実現させることが必要となる。

この面からも，人口の増加は，大部分の途上国で経済発展の制約要因となっていると考えることができよう。

　つぎに人口増加が農業生産に与える影響は，生産量の拡大と1人当り消費量との関係にある。5－5表にみられるように，途上国の農業生産量は過去数十年間拡大しているものの，1人当り消費量でみると人口の急増を反映して大きな改善はみられない。特に，バングラデシュ，ネパール，およびサハラ以南のアフリカ諸国では，食糧生産は人口増加率を下回った。

　従来，食糧生産の拡大は主に作付面積の拡大（耕作地の外延的拡大）により可能となった。しかし，途上国の場合，作付面積の拡大による農業生産の増加分は全体の20％未満であった。これは，未耕地の開拓による耕作地の外延的拡大が既存地の集約的利用と比較して高コストになっているからである。さらに地域によっては，風土病の存在などの理由から外延的な耕作地の拡大が阻止されている場合もある。中南米地域などの一部を除いて外延的発展の余地の少ない途上国の食糧生産増加の途は，灌漑設備の拡充，多毛作の導入の促進などによる労働投入量の増加と，単位面積当りの増収とがある。農業雇用も生産量も増加することから得られる二重の利益は，肥料などの近代的投入財の入手可能性と効果的な農業生産物の価格政策を伴わなければ，容易には獲得できない。この間，大部分の貧困層は人口の増加により必要な食糧の入手がますます困難となろう。

4 人口問題への関心の高まり

　国連主催の第1回世界人口会議は1954年にローマで，第2回が1965年にベオグラードで，その後，第3回会議が1974年にルーマニアのブカレストで開催された。このブカレスト会議は，それまでの2回の会議が専門家によるものであったのが，政府代表による各国の人口政策の討議を行う大きな会議となったという点で画期的であった。

　これより2年前，ローマクラブのレポート『成長の限界』が刊行された。同レポートはその結論の冒頭で，「世界人口，工業化，汚染，食糧生産および資源の使用の現在の成長率が不変のまま続くならば，来るべき100年以内に地球上の成長は限界点に到達するであろう。もっとも起こる見込みの強い結末は人口と工業力のかなり突然の，制御不可能な減少であろう」と警告し，人口増加と資源利用の抑制を世界に求めた。

　70年代に入ってからのこうした世界的な人口問題への関心の高まりの背景には，どのような要因が考えられるであろうか。

　まず第1に，国家間の人口規模の変化が挙げられよう（5-3表）。第2に，このことから生ずる国際経済および政治の安定性に与える影響が考えられる。第3に，人道上および福祉上の配慮，第4に，途上国の長期的な社会開発に対する選択の幅が小さくなることへの懸念が指摘できよう。

　このうち，第1と第2の要因は，安定した国際経済環境の維持

を求める先進国側の大きな関心領域ではあるが，人口政策の遂行が各国の主権分野にあることから政治的にセンシティヴであり，表立って先進国の価値観を押し付けることはできない。第4の要因も，不確定な長期の予測と現在の開発と人口に関する知識のストックが十分でないために，先進国側のイニシアティブは途上国からの反発を招く懸念がある。このために，国際協力となると，第3の要因からの援助，特に，出生率の引下げに貢献する資金および技術援助と経済開発援助が中心となってくる。

　この，先進国および途上国双方の人口問題に対する合意がブタペストの世界人口会議で得られた理由として，以下の5点が指摘される。

　①現在の途上国を特徴づけている貧困，疾病，文盲および広範囲にわたる不平等は人口増加のみによっているのではなく，その是正には経済・社会開発が必要である。②多面的な問題を含む人口問題は，各国に共通するひとつの要因では説明できない。③人口の集中から生じている問題の多くは，全体の人口の増加のみならず，国内の地域間の人口分布と農村―都市間の人口移動によっても引き起こされている。④世界人口の増加，特に，途上国の人口増加による破局的な結末を避けるためにも，世界の経済的および技術的資源が動員されなければならない。⑤出生を管理するためには，各個人の基本的な人権を最大化するべく自発的な人口プログラムによらなければならない。

　かくして，世界各国は人口の抑制を通じた経済発展の可能性を模索することとり，大きな前進がみられたといえよう。

5 人口の将来予測と資源・環境問題

　国連の世界人口中位推計は，1980年の世界人口は44億人となり，今世紀末までにさらに17億増加して61億人に，21世紀の2025年には80年の世界人口規模を85％上回る82億人に達すると予測している（5-6表）。

　この推計は，総再生産率（gross reproduction rate—GRR）〔1人の女性がある時点の，年齢別出生率がそのまま続くと仮定した場合にその女性が産む女児の平均数のことで，その社会の出生力を計る尺度〕の推定から合計出生率（total fertility rates—TFR）〔1人の女性が，出産可能年齢の各年齢ごとに現行の年齢別出生率のとおりに出産すると仮定した場合に，その女性が，生涯に出生させることになる子供の平均数〕を推計し，この値が減少し，出生率が低下するとの仮定に基づいている（5-3表，5-3図）。特に，出生率は東アジアで1990〜95年までに，ラテンアメリカおよび南アジアでは2030年までに，アフリカでは2050〜55年までに，それぞれ人口の置換水準出生率〔ある年齢層の女性人口のコーホートが人口中に自己を置換するのにちょうど十分な人数の女子をもつ場合の出生率水準〕に到達すると仮定されている。

　1980年には先進国の人口が世界人口に占める割合は25.5％であったが，2000年には20.8％へ，2025年には17％へと逓減する。発展途上国はこれと対照的に，同期間に74.5％，79.2％，83.2％へとシェアを高めていく。この結果，西暦2000年の世界

5-6表　推計世界人口と地域別人口配分

地　　域	総人口（百万）					世界人口シェア（%）				
	1980	1990	2000	2010	2025	1980	1990	2000	2010	2025
世界	4,434	5,244	6,121	6,991	8,199	100.0	100.0	100.0	100.0	100.0
先進地域	1,131	1,206	1,272	1,321	1,376	25.5	23.0	20.8	18.9	16.8
発展途上地域	3,303	4,038	4,849	5,670	6,822	74.5	77.0	79.2	81.1	83.2
アメリカ	470	635	853	1,116	1,544	10.6	12.1	13.9	16.0	18.8
ラテンアメリカ	364	459	566	682	865	8.2	8.8	9.2	9.7	10.5
北アメリカ	248	274	299	318	343	5.6	5.2	4.9	4.5	4.2
東アジア	1,175	1,327	1,475	1,595	1,712	26.5	25.3	24.1	22.8	20.9
南アジア	1,406	1,733	2,077	2,400	2,823	31.7	33.1	33.9	34.3	34.4
ヨーロッパ	484	499	512	518	523	10.9	9.5	8.4	7.4	6.4
オセアニア	23	26	30	32	36	0.5	0.5	0.5	0.5	0.4
ソ連	265	290	310	329	356	6.0	5.5	5.1	4.7	4.3

（出所）　Leon Tabah, "Population Growth", in J. Faaland ed., *Population and the World Economy in the 21st Century*, Basil Blackwell, Oxford, 1982.

人口の 10 人中 8 人が発展途上国の人口で占められることとなる。地域別では南アジア，東アジアおよびラテンアメリカの 3 地域だけで世界人口の 7 割を占め，中でも置換水準出生率の到達時期の遅い南アジアとアフリカ地域の増加は目覚ましい。

　予測されるような人口増加に付随して，発展途上国では都市地域に居住する人口比率が急増する都市化現象が大きな問題となってきている（5-4 表）。

　世界銀行の世界開発報告によれば，1950 年には人口 1 千万以上の都市はニューヨークとロンドンだけであったが，75 年にはこれにメキシコシティ，上海およびサンパウロが加わった。西暦 2000 年には，世界 25 の 1 千万都市のうち 20 までが途上国の都市で占められると予測されている。メキシコシティのように，僅か 25 年の間におよそ 2 千万人の都市人口の増加を経験するであろうとは信じがたいほどである。

　爆発的に増加する都市人口は，スラムやバラック密集地区や道

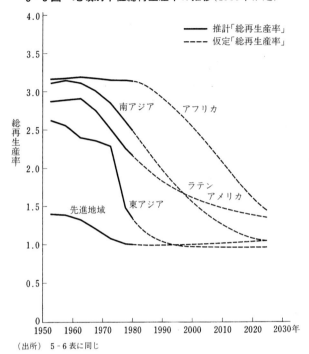

5-3図 地域別中位総再生産率の推移（1980年推定）

推計「総再生産率」
仮定「総再生産率」

総再生産率

南アジア　アフリカ

先進地域　東アジア　ラテンアメリカ

（出所）　5-6表に同じ

路での生活者として都市の膨張を促す。こうした地域では，公衆衛生や上下水道などの公共サービスはほとんど普及しておらず，環境は劣悪である。例えば，バグダッド，ソウル，カルカッタ，メキシコなどでは人口の 25% 以上が，コロンビアのビューナベンツラ，トルコのイスマイルとアンカラでは 50% 以上がこうした人々で構成されていると言われる。発展途上国のこのような急速な都市化は，公衆衛生そのほかの公共サービスの提供に莫大な投資を必要とするであろう。廃棄物処理能力の拡充，水の供給，教育機会の提供，食糧供給および雇用機会の創出など，さまざま

な困難がこの地域の前途に待ち受けている。

　発展途上国の都市環境を最低限維持するには，安全な飲料水の確保と下水処理能力が最も重要である。世界保健機構 (WHO) によれば，1975 年現在，発展途上国の都市住民の 24% は家庭水道ないし配水塔に通じるパイプさえなく，25% が排泄物処理家庭施設もなかったと報告している。基本的衛生施設が不完全なために，不衛生な環境に住む途上国の都市住民は伝染病の脅威に常にさらされている。人口増加に起因する排泄物や廃棄物の処理能力の拡充がこれに追い付かず，河川や湖の汚染を強め，こうした水に依存せざるをえない人々の健康状態の悪化と伝染病発生の原因となっている。こうした居住環境の悪化が，都市住民の平均寿命の引上げにマイナスの要因となるのである。

　食糧および農業生産すなわち供給の将来について，アメリカ農務省は，1970 年の世界総生産量が西暦 2000 年には 90～100% 増加すると予測している。この増加予測は年率 4% の耕地面積の拡大と，70～100% と予想される農業生産性の向上に基礎を置いている。

　これに対し，世界の食糧需要は人口の増加と所得水準の向上とに依存している。しかし仮に，供給量の予測が実現されたとしても 1 人当り食糧消費量の地域格差は増大すると考えられている。とりわけ，人口圧力が高く貧しい多くのアフリカ諸国，なかでもサハラ以南では，1 人当りカロリー消費量は実質的に減少すると予測され，南アジアでもカロリー消費量の増加は期待できない。世界銀行は，世界の食糧分配の悪化から，世界人口の 3 分の 1 か

ら2分の1を占める最も貧しい人々は人間の必要栄養量すら満た
せず，この絶対的貧困線を下回る途上国の栄養不良人口は，西暦
2000年にはおよそ13億人に達すると予測している。

　予測される人口増加に伴う食糧需要の増大に対処するために，
各国は穀物生産の拡大に努めることになる。しかし，新たな農地
開発と単位面積当りの生産性向上政策は，土壌破壊による地力の
低下や，殺虫剤と化学肥料の大量使用および同系の穀物品種の単
作を招き，環境の一層の悪化を誘引すると危惧されている。

　『西暦2000年の地球』（アメリカ合衆国政府）は土壌破壊の原
因として，つぎの5つを挙げている。

　①砂漠化（過度の放牧，休耕期間の短縮，樹木の燃料利用など
によって土地が砂漠化し，土壌が不毛化する）。②湿地化，塩類
集積，アルカリ化。これらは，とりわけ乾燥地の灌漑にさいして，
土壌排水とうまくかみ合わない場合に生じる。③森林の伐採。と
くに，急斜面上あるいは降雨の多い熱帯地域での伐採についてで
ある。④一般的な土壌浸食と有機物の流亡。⑤農地の転用。これ
は，経済成長と人口増加に伴い，都市建設，農村集落の拡張建設
が起こると，これらの建設用地として農地を転用し，そのために
農地が消失することである。

　同書は，肥料の単位面積当りの使用量が西暦2000年までに
1970年初期の2.6倍に達すると予測している。不適切な肥料の
使用は土壌破壊や地力低下をさらに悪化させ，地球の水圏の環境
破壊の危険を高める。さらに，殺虫剤の大量使用から予想される
環境問題としては，人間を含む高等肉食動物の体内残留農薬の蓄

積と作物害虫の生物学的な薬剤抵抗力の強まりなどが考えられている。

　最後に，人口問題に関連した「人口の慣性—momentum」に触れなければならない。

　人口増加率の高い社会は，速いスピードで走っている車がブレーキを踏んでから止まるまでの制動距離が長くなるのと同じように，人口が静止するには，いま増加率を急速に落としても暫くは人口の増加が続く。これは，1つには，多産を奨励してきた長期に及ぶ社会的・経済的影響力が一夜にして少産を有利にするように変化しないことと，人口の年齢構成とによる。

　経済開発と人口抑制が首尾よくはこび，1980〜85年に人口増加が置換水準になっていたとしても（全く非現実的な仮定ではあるが），西暦2000年の人口は1970年の1.88倍に増加する。この置換水準の到来が約20年遅れると，21世紀の世界人口は70年の2.6倍となってしまう。それだけに，人口増加率の引下げは，既述の種々のマイナス効果の緩和に有効である。人口の慣性からの分析を待つまでもなく，早急な人口の増加抑止が求められなければならない。

　　おわりに

　発展途上国の人口問題は，その未曽有の増加率から戦後の経済開発問題に付随して，重要度を増してきている。人口抑制策についての研究は，世界銀行や国連の人口活動基金によって次第に解

明されてきてはいるものの，複雑な人口現象の全容を把握するまでには至っていない。しかも，人口問題へのアプローチも国によって異なっていた。1974 年の世界人口会議は，各国の取組み姿勢の違いを浮彫りにした。その後，経済開発の進捗と高率な人口増加とがトレード・オフの関係にあることが各国で次第に理解・合意されるようになり，人口の抑制が開発問題の中心となってきた。

　西暦 2000 年には世界人口は 61 億の水準に達するだろう。これに伴う地域別人口配分の変化から生じる政治・経済上の潜在的な緊張の高進，食糧の生産と分配（アフリカのサブ・サハラ地域で現在生じているような）などの問題を解決できるのであろうか。地球環境への影響はどうであろうか。近年，幸いにして，宇宙船地球号といった人類運命共同体的な発想が徐々に人々に受け入れられてきている。また，人口問題についての認識も広がりをみせてきている。折りしも，ブカレスト会議後，10 年ぶりにメキシコで開催された（1984 年 8 月）国際人口会議では，人口問題の解決に向けての「世界人口行動計画」の継続的実施および，各国の自助努力と国際協力の一層の推進をうたった「人口と開発に関するメキシコ宣言」を採択し，人口問題の重要性を強調した。これまでに蓄積されてきた経済開発と人口増加との関係を分析し，その解決のためにより一層の資源を投入することが，今こそ求められているのである。

〔参考文献〕

Ph. E. L. スミス（戸沢充則監訳）『農耕の起源と人類の歴史』有斐閣，1986 年

D. H. メドウズほか（大来佐武郎監訳）『成長の限界』ダイヤモンド社，1972 年

館稔・黒田俊夫『人口問題の知識』日本経済新聞社，1976 年

世界銀行『世界開発報告 1984』

アメリカ合衆国政府（逸見謙三・立花一雄訳）『西暦 2000 年の地球』1・2，家の光協会，1980 年

OECD 編（小金芳弘監訳）『世界の未来像』上下，日本生産性本部，1980 年

J. Faaland, ed., *Population and the World Economy in the 21st Century*, Basil Blackwell, Oxford, 1982.

M. P. Todaro, *Economic Development in the Third World*, Longman, 1981.

開発の政治学

「開発」という概念には，経済に対する政治的・政策的関与や，国家による積極的な成長促進活動の意味合いが含まれている。自らのペースで自由に成長する機会を享受した先発国の場合とは異なり，既存の国際環境の機会と拘束のなかで発展を急がなければならない後発国は，国家主導型の経済発展へと必然的に傾斜していくことが多い。途上国の政治経済論でよく用いられる開発政策，開発独裁，開発政治などの表現はそのような状況を反映していると言えよう。

1 開発政治への契機

国家は至高の権能を持つ自立的な単位であるという理念が存在する一方，どの国家も，より大きな政治経済構造のなかでの立場と役割分担から自由ではあり得ないという現実がある。世界システムとも呼ばれるその政治経済構造は，世界市場とパワーの体系を介して連動関係にある諸国家の系と見ることができるが，特に

その周辺地域（ペリフエリー）の国家状況は中心諸国（コア）との関係に強く規定されがちである。政治が経済の速度や構造に介入していく必然性は，純粋に内生的というより，世界システムを構成する他の諸国との関連において発生することが多く，とりわけ先進国との関係は，途上国を開発政治へと邁進させる契機を含んでいる。成長至上主義の受容，外資の受入れ，債務救済に伴う先進国の政策介入など，今も昔も，第三世界の国家は外部勢力と国民経済の接点において開発政治の必然性と直面してきた。

中心的価値としての成長

まず，先進国の成長実績と成長至上主義の理念は，途上国に，成長格差を競って早く縮小するという共通の競争原理の導入を半ば強要する結果をもたらしてきた。今世紀の2つの大戦は2つの社会的価値を欧米世界に確立し，それらは模倣されるべき価値として途上国に提示されたのであった。1つは，ファシズムや強権体制に対する民主主義の価値であり，もう1つは，膨張主義に代わる成長主義の理念である。経済成長は領土的膨張に代わる中心的価値として位置づけられ，国家が競うべきものは帝国の規模からGNPの規模へと移り，成長至上主義が時代の新たな教義として中心から周辺へと浸潤していった。

世界大戦はまた，パックス・アメリカーナ（アメリカ主導の国際秩序）の下に世界を再編成する力学の一環として帝国を解体し，第三世界諸国の独立を促進した。アメリカの率いる求心力の強い国際構造のなかで国内政治の基盤が脆弱なまま独立した国の多く

は，政権の正統性と安定化への条件を，国内社会より外部世界に求めざるを得ない状況にあった。政権の正統性の保証を外部の大国に求めようとする限り，大国の掲げる社会的価値を導入し，従順な後続者<ruby>後続者<rt>フォロアー</rt></ruby>としての政治を展開するのは不可避である。成長と民主化へのコミットメントは，強力なパックス・アメリカーナの世界に誕生した新生国家が生き延びるための必然的な選択であったと言えよう。

　しかしながら，民主化と成長という2つの中心的価値のうち，成長の価値は民主化の価値を次第に踏み倒し，開発のための抑圧的権威主義体制が第三世界に林立していく。民主化への試みが軍事クーデタによってつぶされていく動因の多くは経済危機であり，成長と民主化が両立困難である場合に前者を優先させることは，大国にも暗黙のうちに歓迎された選択であった。とりわけ，冷戦が，米ソによる周辺地域の争奪戦といった発現形態を伴って激化していく過程で，世界大戦の犠牲の上に輝いた民主主義の理念はいつのまにか反共の理念へとすりかわり，成長は反共の砦として絶対的価値を獲得していった。1959年のキューバ革命に対抗する形で，60年代にブラジルをはじめ南米各地に相次いで軍事政権が誕生したことは，大国が途上国に求める社会的価値が，民主化と成長から成長と反共へと移り変わったことを反映している。同様に，アジア・アフリカに台頭した開発型反共体制は，成長と反共の価値を前面に押し出すことにより，軍事援助からアメリカ当局による政権擁護的コメントに至るさまざまな正統性の根拠を外部から取りつけて，政権を延命させていったのである。

こうして，戦後世界の主要な競争軸を構成してきた成長という価値は，周辺地域においてはさらなる絶対性を帯びて国家を開発政治へと駆り立てた。成長指標の統計を武器に，先進国のエコノミストたちは途上国のランキングとカテゴリー化を容赦なく行っていく。それは，外資の流れ，信用供与，技術移転，カントリー・リスクの算定，そして国際社会における一般的評価までも規定する万能の尺度となって，その国を世界システムのなかに位置づけることになる。GNP 成長率，国際収支，輸出実質成長率，1人当り GNP，財政収支，インフレ率，デット・サービス・レイシオといった統計が国家を追い回すようになったのである。

　このような状況下にある国々にとって，資源の動員，輸出部門の育成，工業化の推進などは，市場の力学や累積効果を待って達成されるべきものではなく，政府自らの介入と誘導の下に，発展過程を圧縮して達成されるべき政策目標にほかならない。後発性の利益（ガーシェンクロン効果）を活かして，先発国から技術や資本を効率よく調達し，開発や蓄積のための時間とコストを節約して一気に工業化をなし遂げるには，工業化イデオロギーを推進する強い政府が必要である。また，商品が先進国で開発され（「生成期」），大量生産の「成長期」を経る過程で生産技術の「標準化」が進むと途上国に生産の優位性が移る「成熟期」が訪れるというプロダクト・サイクル（赤松要，R. ヴァーノン）を加速させることも開発政治の課題となっていく。

　韓国，台湾，シンガポールなどは共通して政府主導の輸出産業育成や権益保護的通商政策に腐心し，また原油安，低金利，通貨

安のいわゆる「三安」など，外生的な発展への好条件を官民挙げ
て活かすことにより空前の成長を誇ってきた。成長という戦後世
界の中心的価値を工業化によって勢いよく体現した途上国は
NIES（新興工業経済地域）の範疇で区別されるようになるが，
いずれの工業化も，揺るぎない開発強権体制の下で推進されたの
である。東アジア政治論の旗手 B. カミングスはその特徴を BAIR
(Bureaucratic-Authoritarian Industrializing Regimes　工業化推進
型官僚的権威主義体制）と概念化したが，NIES 化は BAIR と一
体の現象であったと言えよう。

　他方，成長が共通の価値となって国民経済の期待を刺激する状
況は，成長実績の不振が政権の存立基盤そのものを脅かすことに
もつながっていく。政権の安定は直接的には各国に固有の国内事
情や勢力構造に基づくものではあっても，開発経済の失敗が政権
の正統性を揺るがし，政治的危機の背景を構成した事例は数多い。

　大国の巨大資本から国民経済を解放しようとしたチリのアジェ
ンデ政権（1970〜73 年）の挫折の背後には，インフレの激化，
銅の国際価格の低下に伴う輸出収入の低迷，財政赤字の悪化や物
資不足などがあったが，右派勢力が米 CIA の協力の下に経済混
乱を煽ったことも有名である。アジェンデ政権の台頭そのものも，
中道改革派の前政権がインフレの鎮静化や農地改革に失敗し，銅
鉱山政策についても行き詰まり，社会下層の都市流入などを制御
できなかったことを背景としていた。さらに，アジェンデ政権を
葬ったピノシェット軍政の自由経済政策も，輸入の急増と経常収
支の悪化，債務拡大などを引き起こし，社会不安を封じ込めるた

めに抑圧政策を拠り所として政権の維持を図ってきた。

　1964 年にブラジルの民主制を覆した軍事クーデタの背後にも，農地改革をめぐる分裂や，積極財政下のインフレなどによる経済不安があった。その後，「ブラジルの奇跡」と呼ばれる重化学工業中心の高度成長を実績に，軍部が 21 年の長期にわたって政権を維持したことは，成長が政権の正統化につながることを実証している。人民主義の典型を極めたアルゼンチンのペロン政権も，都市労働者や貧困層の熱狂的な支持を得て経済改革を推し進めたが，やがて，農牧畜生産の停滞，輸入代替工業化の行き詰まり，産業国有化の矛盾，インフレ激化などの経済混乱のなかで，1950年代半ばに崩壊する。ペロンは 70 年代に亡命先から復活し，彼の死後はその妻がペロニスタ政権の維持を試みたが，マイナス成長，国際収支の悪化，超インフレ現象などに代表される経済政策の破綻は軍事クーデタを招く結果となった。政権を奪取した軍部はチリ軍政と同様の自由経済政策を導入したが，経済危機を脱することはできず，国民の不満を吸収するはずであったフォークランド紛争がさらなる経済的破局をもたらすなかで，政権委譲へと追い込まれていったのである。

　ペルーにおける 1980 年の軍政崩壊や，ボリビアにおける 1982年の軍政崩壊なども，経済危機の深刻化を背景として発生した政治変動である。メキシコ，ベネズエラ，コスタリカなど，中南米で政治の激変を免れてきた諸国に共通する点は，比較的安定した発展に成功していることであると言えよう。一方，アフリカでは，慢性的な経済破綻が慢性的な政変の温床となり，また，政治の不

安定性が経済の長期計画を無効化して貧困からの脱出を不可能にするという悪循環が続いている。このように，経済発展が政権の正統性に関わり，成長が政権の実績^(パフォーマンス)を物語る第三世界においては，開発は政治そのものであり，その失敗は政権交替や政変につながる決定的な要素である。近年，先進国について指摘されるようになった政治と経済の不可分性は，成長を政治の使命とする途上国においてこそ，一層リアルなのである。

分業と外資と抑圧的開発体制

　工業化や成長へと追い立てられるはるか以前から，南の地域は資源提供の役割を負う植民地として世界システムに組み込まれ，帝国中枢の工業化と繁栄を支えてきた。第2次大戦後，植民地独立によって周辺地域は帝国の支配と帝国経済からは解放されたが，同時並行的にアメリカを頂点とする新たな世界システムへの編入を余儀なくされ，やはり先進国の発展を支えてきた。植民地時代には征服隊や総督府の管理によって，独立後は資源開発型多国籍企業や農業関連産業^(アグリビジネス)と受入れ国政府の連合によって，周辺地域は，先進国への資源供給という機能を果たすことになったのである。周辺地域は，独立はしても，世界システムにおける資源供給という役割分担からは解放されず，従来からの役割を忠実に効率よく達成していくことによってのみ，国際場裡における正統性と先進諸国との良好な関係を保障されたのであった。先進国の期待する経済的役割を果たすというところに，途上国における政治の経済への介入のもうひとつの契機があったと言えよう。

すなわち，途上国政府は先進国から期待される役割を了解し，国民経済をその方向に傾け，さらにその役割を効率的に遂行するために外部勢力＝多国籍企業の受容を媒介するという機能を果たさなければならないのである。そしてその一環として，多国籍企業に対する国内の反対勢力や民族主義的主張の弾圧も必要となる。その意味で，多国籍企業による途上国の資源開発は当初から必然的に強権体制を前提としていたのであった。

　外国資本と密着して，資源関連の権益や大土地所有制から多大の利益を挙げていた地元の特権富裕層や寡頭層（オルガルキア）もまた，多国籍企業の活動を支える強権体制の一部である。受入れ国政府には政権基盤を，特権層には繁栄を保障することと引換えに，外国資本は天然資源の自由な収奪と単一栽培型（モノカルチュア）大規模農業開発の権利を獲得していった。その状況を，J. ガルトゥングは，「中心の中心（center of Center）」と「周辺の中心（center of Periphery）」の利害調和の構図と説明し，またラテンアメリカの従属論学派は，中　枢（メトロポリス）＝先進国の発展と衛星地域（サテライト）＝周辺国の低発展が一対のプロセスとして進展することを可能にした，外資と特権ブルジョワジーの結託による幾重もの人民搾取の構造，と指弾する。いずれにしても，独立国での外国資本の活動にとっては，その国の政府と関係勢力の協力が不可欠であり，多くの途上国において，多国籍企業の権益の擁護は，政治の経済への介入の原型であったとさえ言えよう。

　先に述べたアジェンデの台頭前夜，チリの総輸出の中で銅が占める割合は約 70% にも達していたが，チリの銅生産量の 70%

余りはアメリカの多国籍企業3社によって統制されていた。同様の構図は，ジャマイカのボーキサイト，ブラジルの鉄，ペルーの銅，ボリビアの錫，モロッコやセネガルの燐鉱石，そしてイランやリビアの石油についても見られた。また，コーヒー，ココア，砂糖，フルーツ類，ナッツ類，その他の農産物についても，生産拠点と世界市場を支配する先進国の食品メーカーは，生産国政府とともに，「バナナ共和国」という言葉に象徴される経済のモノカルチュア化を推し進めたのであった。先進国に供給するコーヒーを大量に栽培する肥沃な国土のなかで子供たちが栄養失調で死んでいくというような経済の奇形化は，途上国政府が世界システムにおける分業を多国籍企業の支配の下に達成していくという，このような構造のなかから生まれたのである。

　外資の浸透は農鉱業部門と同時に製造業部門へも広がっていった。途上国は，工業原料を供給する一方，先進国の製造業部門の余剰資本を吸収し，低賃金労働と国内市場を提供して，多国籍企業のグローバルな経営戦略を末端において支えるという役割をも担っていくのである。ただし，製造業部門への外資進出は，途上国における輸入代替工業化と連動していた面もあり，それは，途上国自らが輸入代替工業化を推進する過程で招いた意図せざる政策的帰結であったとも言えよう。

　輸入代替工業化政策は，農鉱業への特化の理論的根拠を与えるリカードやヘクシャー゠オリーンの比較優位原則に対抗して，一次産品輸出による発展には構造的な困難があるとの認識から，とりわけ1950年代，60年代を通じて多くの途上国で採択された。

R. ヌルクセの貧困の悪循環論や，一次産品の長期交易条件の悪化を指摘したプレビッシュ゠シンガーの命題などを背景として，途上国は農鉱業特化の状況を克服して工業化を推進しようとしたが，国際競争力がない段階では輸出向けの工業化を推進することはできない。必然的に工業化は，従来，先進国から輸入していた国内消費分を代替する「内向きの工業化」にならざるを得なかったのである。

　輸入代替工業化には，消費財輸入の禁止や関税障壁の強化など徹底した保護主義政策が必要だが，消費財の輸入を抑えても，それを国内的に生産するのに必要な中間財や生産財の輸入がむしろ拡大するというケースが多かった。また，生産技術を外部から調達する必要もあり，資本不足も深刻であった。このような問題を解決する手段として外資導入はやむを得ないとする途上国側の事情と，輸出を制限された多国籍企業側の戦略とが連動して，製造業部門への直接投資が急増したのである。とりわけ，中南米主要国などのように国内市場が大きく，外資に友好的な親米政権下の経済に対しては欧米の資本が殺到した。

　しかしながら，外資の著しい顕在性と過度の浸透は，時間の経過とともに，受入れ国側の反発や民族主義的感情を誘発することになった。また，成長への圧力が高まるなかで，輸出の基幹となっている一次産品部門や関連の製造業を政府自らが管理して，国家主導の工業化を推進しようとする動きも強くなった。外資の浸透に対する反動のような形で国有化を断行するという最も極端なケースも，とりわけ基幹資源部門において多発し，国連第6回

資源特別総会での「天然資源に対する恒久主権」の主張などにみられるように，そうした動きを理念的に正当化する気運も広がっていった。また，受入れ国政府の外資管理能力を強化するなど，多国籍企業を統制する動きも活発になり，進出企業に対する地元企業の資本参加や経営陣への内国民登用の強制など，いわゆる「現地化」を進める政策も広範に見られるようになる。

すなわち，外国資本は，途上国において政治が積極的に経済に介入していく契機を二重の意味でもたらしたと言えよう。第1に，途上国政府は外資受容を媒介する役割を果たし，反米勢力を弾圧するなどの対策も含む環境整備を行って，外資依存型開発政策を推進した。第2に，今度は，その極端な従属構造から脱却するために，政府は，やはり巨大な力を動員して国有化や現地化などの外資対策を展開したのである。

外資の発展へのインパクトについては，①国民経済に波及効果のない外部志向的「飛び地」を形成したり，支配層の外国勢力との癒着を生むことによって途上国社会に分極化現象をもたらし，経済構造や消費性向を歪めるとする従属論の主張から，②外資導入は雇用を創出し，技術や経営ノウハウの移転を促進し，資本不足を補って途上国経済の発展に貢献するという見方まで，さまざまな評価がある。また，地域によってもその評価は異なり，ラテンアメリカ経済については従属論の妥当性を認める研究者の中にも，アジア地域，とりわけアジア NIES には当てはまらないと判断する者も多い。

ブラジル経済について，多国籍企業，ブラジル政府，地元資本

の「三者同盟」<ruby>トリプル・アライアンス</ruby>の存在を指摘した P. エヴァンスは，ラテンアメリカでは多国籍企業に対する政府の統制力が弱く，政府対企業という構図のなかで後者が優位であったのに対し，アジアNIES では国家が支配的な立場を確立し得たという点を強調する。ラテンアメリカの場合，官僚的権威主義体制が開発に向けて動き出したとき，すでに経済は外資に浸透し尽くされていたのに対して，アジアの場合は，外資が本格的に進出の矛先を向けてきたときには揺るぎない開発強権体制が成立していたため，国家が外資依存型開発の矛盾のミニマイザーとして機能し，ラテンアメリカとは異なる結果を生み出したというわけである。

　さらに，B. カミングスは，経済に対する国家の優位性の差の源を植民地の歴史にまで遡って解明しようとする。アフリカや中南米を植民地化したのは欧米の先発諸国であったが，東アジアを植民地化したのは，国家主導の開発政治を拠り所とした後発国日本である。アジアにおける開発独裁と経済の官僚支配の原型は，自らもまた後発国であった帝国勢力の中に内在していた，とカミングスは言う。

資金還流と政策介入

　先進国から途上国への資金の流れには，直接投資のほかに，ユーロ市場経由の借款や国際機関からの融資，政府開発援助（ODA），輸出信用供与やその他の政府資金の流れ（OOF）などがある。一般に，北から南への資金の流れは先進国の政策介入を伴うことが多く，ここにも，先進諸国との関係において途上国政

府が開発政治に取り組んでいく契機がある。

　政府開発援助には2国間援助と国際機関への出資によるものとがあるが，とりわけ2国間の場合，援助提供国による政策関与を招きやすいことはよく指摘されてきた。そもそも，タイド・ローン（ひもつき）の場合は，援助提供国からのプラントや製品・部品の輸入を義務づけられ，援助とは言っても提供国の輸出振興策としての性格が強いことが多い。アンタイド（ひもなし）の場合でも，さまざまな条件が絡んで，結果的には，例えば円借款事業については日本の企業が落札する場合が圧倒的に多く，援助を通じて，受入れ国政府が，国内の本来のニーズに応えるよりも提供国好みの開発政策を推進するといった状況があると言えよう。そのような開発政策は大がかりな割りに受入れ国経済にもたらす効果が疑わしく，たとえば円借款の大事業であったフィリピンのバターン輸出加工区は，地元の安い労働力を目当てに，安易に資材や部品を海外から持ち込んで組み立てるだけの外資系工場を誘致する結果となった。不況になれば，進出企業は技術移転の効果も残さずに撤収していく。後には開発の廃墟が残るだけである。

　アメリカの援助は，成長こそ反共の砦という理念の下に，地政学的に反共前線を構成する諸国に大量に投下された。朝鮮戦争から10年間，アメリカの対韓援助は韓国の国内資本創出の80％近くに相当する水準にのぼり，また韓国の総輸入の80％を賄っていた。戦後30年間のアメリカの韓国一国に対する経済協力の規模は，アフリカ全土への規模とほぼ同じである。台湾についても，国内総投資の35％余りがアメリカからの援助によって行われて

いた。韓国にとっても台湾にとっても，高度成長はアメリカの世界戦略のなかにおける失敗の許されない使命であった。

　戦後長らくの間，先進国から途上国への資金の流れの主要な範疇は直接投資と政府間借款であったが，1970 年代中葉からユーロ市場経由の商業ベースの借款が急増し，直接投資の規模を凌駕するに至った。第一次石油危機など 70 年代前半の世界経済の混乱によって，金融市場では全般的に流動性が高まってユーロ市場は一気に膨張するが，戦後最悪の不況に見舞われた先進国経済はその還流資金を吸収しきれず，ユーロ銀行は空前の規模で東欧や途上国に貸付を行ったのである。先進国経済の混乱は援助の低迷にもつながり，途上国側としても民間融資にアクセスを求めざるを得ない状況であった。しかしながら，急激かつ大規模な民間融資はやがて累積債務問題を引き起こすことになる。大量の対外債務を期日になっても返済できない債務危機の事態は 1981 年のポーランドにはじまって，メキシコ，ブラジル，アルゼンチンなど多くの重債務国で発生した。

　債務危機に陥った諸国に対しては，一般的にまず，IMF が経済安定化計画など経済立て直しのための一連のコンディショナリティを打ち出し，債務国がそれに合意して開発政策へのコミットメントを明確にすると，債権銀行は債務返済繰延べや再融資のパッケージによる救済措置を取りまとめるということになる。債務危機はそもそも，不況下において，先進国の銀行が途上国に余剰資金のはけ口を見出し，安易に集中的に貸し付けたことから始まった。また，変動金利制が採用されているユーロ市場では，例

えば，アメリカのプライムレートが1％上昇すれば，アルゼンチンの利払いは自動的に3億ドルも増えるといった問題もある。このように，先進国の経済動向に翻弄されながら債務危機へと転落した途上国は，今度は，債務救済という名の下に経済運営に関する債権国の干渉を真正面から受けることになったのである。債務国政府は，国際金融資本が指導する経済政策を採択し，徹底した開発政治への舵取りを誓い，IMF や債権国の見張るなかで国民経済に向かって成長への号令をかけていく。

通貨切下げ，公共支出の削減，増税や公共料金の引上げ，価格や賃金統制の解除，外国資本の誘致，輸入制限などが，経済安定化計画の典型的な内容である。しかしながら，公共料金の引上げや，食糧などに対する補助金の縮小などの財政立て直しのための政策は，貧困な社会においては国民の基本的ニーズを脅かすものとなり，社会不安を煽ることも少なくない。ペルーやボリビアなどでは，IMF の勧告の下に実施された経済政策に対して暴動やゼネストが発生し，多数の死傷者が出た。国際金融資本の叱責と市民の反乱，世界の論理と地元の条理に挟まれて窮地に立つ債務国政府は，外に向かっては屈伏の，内に向かっては抑圧の政治を展開して経済混乱の収拾を図ろうとする。鉱物資源を収奪した産業資本が暗黙のうちに南の世界に開発独裁を必要としたように，債権を取り立てる金融資本もまた，開発強権体制を黙認し，容認しているのである。

2 開発政治と対外戦略

途上国の発展が国際環境によって強く左右される以上，国際経済構造の是正を求めたり，さらに効果的な通商外交を展開するといった対外戦略もまた，開発政治の重要な次元を構成することになる。南北問題の政治化，先進国に対する抗議や要求，第三世界の連帯，輸出市場の開拓や兵器貿易の拡大など，途上国政府は，開発政治の一環としてさまざまな対外戦略を推進してきたのであった。

南北問題の政治化と資源パワー

国際経済構造の是正を求める運動は，1964 年の国連貿易開発会議 (UNCTAD) の過程において 77 ヵ国グループが形成され，同会議が常設機関として制度化されたのを契機に高まっていった。UNCTAD 総会はその後ほぼ 4 年ごとに開催され，援助の拡充や一次産品貿易の安定化，最貧国への特別措置，製品・半製品の輸出振興などの基本問題を粘り強く主張する一方，1987 年の第 7 回総会では累積債務問題を重点的に取り上げるなど，南北問題の新局面においても途上国の要求をまとめる場として存続してきた。

UNCTAD や 77 ヵ国グループの他に，1961 年にベオグラードで第 1 回会議を開催した非同盟諸国首脳会議もまた，南の諸国の団結や南北問題の政治化を推進する勢力として機能した。もともとは反植民地主義や米ソ対立に対して非同盟の立場を掲げた非同

盟運動は，植民地独立の課題がほぼ達成され，また，冷戦がデタントへと向かうなかで南北問題を運動目標に取り込むようになり，1970年に入ると事実上，77ヵ国グループと合流して南の経済問題を国際政治の前面に押し上げていった。

　1973〜74年にかけて，OPEC（石油輸出国機構）諸国は原油の供給削減や公示価格の急激かつ大幅な引上げを断行し，先進国経済の繁栄の脆弱性を突いて，戦後最悪の不況を引き起こした。先進国側は，そのような資源パワーの行使は最貧国を最も苦しめるものだという論理で，石油輸出国と非産油途上国の分断を図ろうとしたが，第三世界はむしろOPECの団結力と先進国に対するその挑戦的姿勢を支持して，南北問題を国際政治の正面に一気に押し上げていった。1974年の春には，途上国の発展問題を集中討議するためのはじめての国連特別総会（第6回国連特別総会——国連資源特別総会）が開催され，資源に対する保有国の主権（「天然資源の恒久主権」）の確立や，生産者同盟の促進を求める「新国際経済秩序（NIEO）樹立宣言」が採択された。このような南北問題の政治的展開と一次産品価格の上昇を背景に，ボーキサイト，銅，燐鉱石などにおいても生産者の連帯の強化と価格の引上げが行われ，全般的に資源パワーの勢いが増幅していった。

　しかしながら，生産者の力の誇示も一次産品の高価格も長続きはしなかった。まず，資源国の生産意欲が高まり，油田・鉱山の開発や農産物の増産が進んで，80年代に入ると慢性的な供給過剰の傾向があらわれた。また，生産者同盟の脅威は，消費国に輸入先の多角化と代替資源や合成代替材の開発に取り組ませること

になり，資源のリサイクルなども活発になった。さらに，消費国
では省エネルギーや省資源の認識が高まり，一定量の製品を作る
ために必要な原材料消費量が低減した。また，先進国経済は重化
学工業中心の産業構造からハイテク産業や新素材開発の局面に移
行し，全般的に資源需要は緩和の傾向を示すようになったのであ
る。

　このような市場力学のなかで，生産者同盟を促進するというよ
りも，一次産品の生産国と消費国がともに価格を安定化させるた
めに結ぶ国際商品協定（ICA）の重要性が改めて認識されるよう
になったが，やはり緩衝在庫や輸出割当などを効果的に運営する
のは至難である。国際商品協定は小麦，錫，天然ゴム，コーヒー，
ココアなど8品目で結ばれているが，1985年の国際錫協定の破
綻に見られるように，非加盟国の増産なども影響して機能不全に
陥る場合も多い。結局は不安定な先物市場の価格に翻弄される一
次産品生産者にとって，輸出収益の変動を克服する道のりは依然
として遠いままである。

　1970年代の南北問題の盛り上がりは，全体としては具体的な
成果や解決に結びつきにくかったが，1975年にECとACP（ア
フリカ，カリブ海，太平洋地域）諸国との間に結ばれたロメ協定
など，限られた範囲での積極的な対応を促進する国際環境を形成
したとは言えよう。ロメ協定では，ココア，木材など主要な一次
産品のEC向け輸出所得が過去4年間の移動平均水準を一定比率
をこえて下回った場合，その差額分を無利子で融資ないし無償供
与する輸出所得安定化制度（STABEX）を導入した。これは一

次産品輸出国としての役割を固定化するものであり，また協定外の途上国に対する差別につながるといった批判もあるが，一次産品貿易に内在する価格変動問題への実質的な対応例として評価されてきた。

通商外交の新展開

1970年代には第三世界の先進国に対する強硬な対立姿勢が目だったが，80年代に入ると，NIESの経済成長が南の一枚岩的な強硬姿勢を無言のうちに揺さぶる一方，債務危機などの切羽詰まった状況も続き，南北問題は政治的なレトリックから経済的実務の領域のものになっていった。

空前の経済成長率や輸出伸び率を記録する韓国，台湾などにとって，輸出市場を提供する先進国と良好な通商関係を維持していくことは開発政治の新たな優先課題となり，とりわけ巨大市場保有国であるアメリカに対しては，摩擦なき貿易の拡大を目指すための活発な通商外交が展開されてきた。対米輸入ミッションの派遣なども頻繁に行われるようになり，各国とも市場開放政策を打ち出してアメリカとの通商関係の安定化に懸命である。

韓国は，1986年に輸入手続きの簡素化などを盛り込んだ対外貿易法を導入し，酒やタバコの輸入自由化，サービス市場の開放，関税引下げなどアメリカの要求をほぼ受け入れ，また，87年には，外務省の機構改革を実施して，先進国経済に対する通商外交を強化する態勢を整えてきた。黒字をもたらしている相手＝アメリカに対しては巧みな協調通商路線を模索する一方，赤字をもた

らしている相手＝日本に対しては市場開放の要求，輸出ミッションの派遣，展示会の開催などの攻勢をかけ，また，日本車を例外とした大型乗用車の輸入自由化に踏み切るなど，したたかな通商外交を展開してきたのである。円高や品質の向上などの要因も加わってこの地域からの日本の製品輸入は急速に拡大し，87 年には日本の工作機械メーカーがはじめてこの地域から OEM（相手先ブランドによる生産）供給を受けるなど，水平分業時代の兆しも明らかになってきた。同じく 87 年，韓国企業が開発した技術を先進国に供与するはじめてのケースが半導体のリードフレーム関連の技術について見られ，ハイテク技術開発競争への NICs の参入もはじまった。

　南北対立を背景とした直接投資をめぐる厳しい雰囲気も，80 年代に入ると，外資優遇で輸出力の拡大を図ろうとする気運に変わり，フィリピンの新生アキノ政権も新投資法で外資導入の促進を狙うなど，各国で積極的な外資誘致政策が打ち出された。典型的な一次産品輸出国であったタイは，海外からの安定した投資に支えられて，84 年以降は国内総生産に占める製造業の比率が農林水産業を上回るようになり，韓国型の NIES とは違った，農産物加工などにも重点をおく NAIC（Newly Agro-Industrializing Country　新興農業関連工業国）のモデルとなりつつある。

　新たな通商関係の波は，社会主義革命を掲げる途上国にも見られるようになった。70 年代には孤高の自立と自力更生の範として従属論学派などに賞賛された中国も，外資誘致や経済特区の拡充を目指して開放経済への道を模索してきた。すでに一部の都市

では，初期株式市場の生成にともなって合弁・合作企業の株式や債券の発行を保障するようになり，また86年には，国務院が外資優遇規定を公布している。さらに，合弁事業の推進を図るCITIC（中国国際信託投資公司）や一部の地区には海外からの資金導入の自主権が与えられ，同じころ，党理論誌『紅旗』は，アジアNIESを積極的に評価した「アジアの四竜"経済奇跡"の分析」と題する論文を掲載したりしている。通信衛星の打上げの分野でも，西側の顧客開拓に向けて有利な衛星保険を導入し，アメリカのチャレンジャー爆発事故以降，急速に受注件数を増やして注目された。ベトナムにおいても，債務問題緩和のために外貨出稼ぎ先の拡大や，在外ベトナム人の一時帰国が奨励されるようになり，西側経済との交流を求める動きが活発になっている。

　むろん，開放政策には限界や反発もあり，先進国側の協力を引き出すのは容易ではない。しかし，70年代とは明らかに異なるこのような開発政治の方向性は，南北関係の変容という大きな文脈のなかに位置づけることができよう。他方，変化を拒絶し，通商がもたらす周辺化に対して，通商の否定という強硬な負の通商政策をとり続けるビルマのような国もある。

　発展へのアクセルを踏もうとするなかで，社会主義革命軍を生産隊へと再編成する動きも見られるようになった。中国では，解放軍近代化の一環として，兵員の4分の1にあたる100万人を削減して生産要員に振り向けたが，それは不気味な通商外交の伏線でもある。外貨獲得のための最も確実な製品輸出力を兵器貿易に見出した中国は，第三世界向けの武器売却の分野で，ソ連，ア

メリカ，フランスに次いで第4位を占め，交戦中のイラン，イラクなどにも大量の武器を供給してきた。同様に，10万人の将兵を削減して生産部門に振り当てた北朝鮮も，第三世界の交戦国への武器輸出のシェアを中国と競うなど，自力更生の手本とされた国々が相次いで第三世界の戦争を自らの通商政策のなかに取り込んでいるのである。

さらに，ブラジルをはじめとする多くの重債務国は，先進国への債務を第三世界への武器輸出で返済しようとしてきた。債務返済に外貨を必要とする途上国の武器輸出先は，累積債務で西側の最新兵器を購入できなくなった途上国であり，債務問題は，拡大する第三世界内の兵器貿易の両側に潜む共通項なのである。

最後に，飢餓に苦しむ国は依然として多く，国民所得の減少を経験している途上国も少なくない。第三世界諸国の多様化と，開発政治の多元化が進行しているのである。

〈付記〉 本章執筆にあたっては，文部省科学研究補助費（研究項目番号：東アジア比較研究 A07）による研究助成を受けた。

〔参考文献〕

細野昭雄・恒川恵市『ラテンアメリカ危機の構図』有斐閣，1986年

細野昭雄『ラテンアメリカの経済』東京大学出版会，1983年

堀坂浩太郎『転換期のブラジル』サイマル出版会，1987年

松下洋『ペロニズム——権威主義と従属』有信堂，1987年

渡辺利夫『成長のアジア・停滞のアジア』東洋経済新報社，1985年

末広昭・安田靖『NAIC への挑戦』アジア経済研究所，1987年

坂本義和編『暴力と平和』朝日新聞社，1982年

鈴木佑司『東南アジアの危機の構造』勁草書房，1982 年

涂照彦『土着と近代のニックス・アセアン』御茶の水書房，1987 年

川田侃『国際関係の政治経済学』日本放送出版協会，1980 年

同『南北問題』東京大学出版会，1977 年

西川潤『経済発展の理論』日本評論社，1976 年

同『資源ナショナリズム』ダイヤモンド社，1974 年

斎藤優編『南北問題』有斐閣，1982 年

安場保吉・江崎光男『経済発展論』創文社，1985 年

荒川弘『新重商主義の時代』岩波書店，1977 年

樋口貞夫『政府開発援助』勁草書房，1986 年

猪口孝『国際政治経済の構図』有斐閣，1982 年

日本国際政治学会編「世界システム」(『国際政治』82 号，1986 年)

恒川恵市「従属アプローチの発展と現状」(『思想』1980 年 7 月号)

猪口邦子「第三世界と世界システム」(『国際政治』74 号，1983 年)

Bruce Cumings, "The Origin and Development of the Northeast Asian Political Economy," Frederic C. Deyo, ed., *The Political Economy of the New Asian Industrialism*, Ithaca: Cornell University Press, 1987.

Peter Evans, "Class, State, and Dependence in East Asia," Frederic C. Deyo, ed., *The Political Economy of the New Asian Industrialism*, Ithaca : Cornell University Press, 1987.

7 先進民主主義国の現状と未来

1 先 進 国 病

　第二次世界大戦後，パックス・アメリカーナと呼ばれる国際秩
序の下で，世界経済は急速に発展し，特に先進工業国は 1950 年
代，60 年代には未曽有の繁栄を享受することになった。しかし，
1973〜74 年の第一次石油危機，そして 1970 年代末の第二次石油
危機の影響を受けて，世界は構造的不況に陥った。アメリカもヨ
ーロッパも経済成長のスピードが鈍化し，それぞれ 1 千万人を超
える失業者を抱えることになった。日本もまた石油危機に直撃さ
れたが，欧米先進国に比べて経済パフォーマンスは良好であり，
それが対欧米貿易黒字として帰結し，貿易摩擦を激化させている
ことは周知のとおりである。

　ところで，日本と欧米諸国との経済パフォーマンスの差は，単
に政府の経済運営の優劣によるのではなく，双方の社会のあり方
の違いによるところが大きい。先進工業国は，いずれも衣食住に

困らない一定水準の生活を保障する福祉国家を目指し，その目標に到達していったが，そこに待ち構えていたのは，勤労意欲の減退，進取の精神の消滅，人口の高齢化などの社会の活力の喪失であった。それはまずイギリス病という名で呼ばれ，次第にフランス，西ドイツと他の西欧先進諸国にも飛び火していった。さらにアメリカでも，1960年代後半から「ミーイズム」と呼ばれる社会現象が顕著となり，各個人が自己の殻に閉じこもり，社会全体に対する責任意識を喪失していった。そして，これらの先進国病の症状は，1973年の石油危機を機にさらに悪化し，経済成長を鈍化させ，失業を増大させていったのである。

　ところで，欧米先進国でなぜ先進国病が発生したのであろうか。また，その病はどのような症候を持っているのであろうか。

大きな政府と高齢化社会

　高度経済成長が築き上げた「豊かな社会」は，「恵まれない者たち」の救済を目指す高度福祉システムの樹立を可能とするものであった。特に人種的少数派や外国人労働者の問題をかかえる欧米社会では，福祉の内容も範囲もわが国よりも拡大せざるをえなかった。アメリカでは，ジョンソン大統領の「偉大な社会」計画（グレート・ソサエティ）により，少数派の差別禁止，公害防止，失業者救済などのための社会保障支出が急増していった。この傾向は1970年代を通じて継続し，1981年には社会保障費は政府予算の37％にまでのぼった。1962年の数字が25％だったことを想起すれば，その増加ぶりがよく分かる。このような福祉予算の膨張は，当然のことなが

7-1表　主要先進国の社会保障会計

国・年次		国内総生産に占める社会保障の割合		人口1人当り社会保障		社会保障支出に占める各種の割合					
		社会保障会計収入	社会保障会計支出	社会保障会計収入	社会保障会計支出	社会保障	家族給付	公務員文武官の恩給	公衆衛生サービス	公的扶助	戦争犠牲者給付
		%		円		%					
日本	年 1964-65	6.6	5.1	19,509	15,104	56.5	—	14.2	6.2	11.6	11.5
	1976-77	12.5	9.7	184,989	143,334	63.2	1.2	14.0	2.5	12.0	6.5
アメリカ	1964-65	8.1	7.6	104,220	91,008	50.1	—	9.9	10.1	17.2	12.7
	1976-77	14.8	13.7	349,036	322,991	53.3	—	10.7	6.2	24.0	5.8
イギリス	1964-65	12.1	11.7	74,601	72,484	42.3	4.1	8.7	30.4	11.4	3.1
	1976-77	18.8	17.3	193,895	178,944	41.6	2.8	8.4	28.7	17.1	1.4
西ドイツ	1965	17.1	16.5	120,519	116,262	65.5	3.8	16.4	0.8	6.0	7.5
	1977	20.6	17.3	518,462	526,799	72.5	5.1	13.2	0.5	4.4	4.3
フランス	1965	15.5	15.6	113,467	114,028	50.3	19.6	18.7	—	5.3	6.1
	1977	26.0	25.6	501,761	494,717	67.6	11.1	12.1	—	9.2	—

(出所)　ILO, *Cost of Social Security*, 1981.
　　　　（日本生産性本部『活用労働統計1982年版』から転載）

(注)　1.　1965年および77年平均の為替レートで円に換算した。
　　　2.　社会保障会計収入は，労働拠出分，社会保障特別税，政府援助，資本所得，その他の収入を含む。
　　　3.　社会保障会計支出は，医療費，運営費，その他の支出を含む。
　　　4.　家族給付とは，被扶養者のうち，主として一定条件に該当する児童に支給される給付をいう。
　　　5.　公衆衛生サービスとは，国による下水，疫病予防，医療など。
　　　6.　公的扶助とは，生活保障，無拠出の老齢年金など。
　　　7.　戦争犠牲者給付は社会保障に含む。

ら政府支出を急増させ，「大きな政府」を生み出したのである。

　事情はヨーロッパでも同様であり，1960年代以降，社会福祉の充実が図られ，アメリカ以上に「大きな政府」への傾向を強めていく。たとえば，1976～77年における国民総生産に占める社会保障支出の割合は，日本が9.7％，アメリカが13.7％であるのに対して，イギリスが17.3％，西ドイツが17.3％，フランスが25.6％と，相対的にヨーロッパが高くなっている（7-1表参照）。

　しかし，福祉の増大は国家の過度の介入を意味し，それは行政

を肥大化させ，租税負担を増やす。1978年における国民総生産に対する租税負担率（社会保険料を含む）は，日本が24.06%なのに対し，アメリカは30.19%であり，またEC諸国は，オランダ46.79%，ベルギー44.18%，デンマーク43.59%，フランス39.67%，西ドイツ37.82%，イギリス34.45%，アイルランド33.38%，イタリア32.58%と，極めて高い。このような数字が意味するものは，「働くよりも失業保険で食った方が楽だ」というような態度や，アブセンティズム（無断欠勤）の蔓延である。これが欧米社会の活力を殺いでいるのである。

1970年代末から80年代にかけて，イギリスのサッチャー首相，アメリカのレーガン大統領，そして日本では鈴木・中曽根両政権が福祉政策を見直し，財政削減，つまり「小さな政府」を樹立する方針を高く掲げて，政府規制の緩和，民間活力の導入などを実施に移しはじめたのは，まさに「大きな政府」に対する反省からである。これを「保守回帰」と名付けてもよいが，むしろ先進国病からの脱却を目指す努力と呼んだ方がよかろう。

ところで，社会の活力の低下は，人口の高齢化によってももたらされる。特にヨーロッパでは人口の高齢化が進んでおり，日本が西暦2000年に達すると予想される水準にすでにある。具体的には，65歳以上人口（老年人口）の総人口に占める割合は，1980年でスウェーデン16.2%，西ドイツ15.0%，イギリス14.8%，フランス13.7%，アメリカ11.3%，日本9.1%である。高齢化社会は，出生率の低下と平均寿命の伸びによってもたらされるが，医療費，年金といった社会保障費の増大，社会の活力の喪

7-1図　主要先進国の老年人口割合

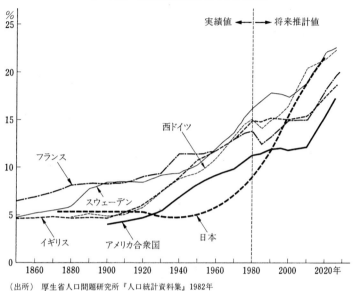

（出所）厚生省人口問題研究所『人口統計資料集』1982年

失といった問題を生んでいる。完備された年金や医療システムに
より何不自由ない老後を老人ホームで過ごせるとしても，そこに
待っているのは孤独と退屈である。しかし，そうかといって，老
人が再び労働市場に参入すれば失業問題を悪化させることになる。
「豊かな社会」の老人に自殺者が増加するという皮肉な現象が起
こっているのである。

　ところで，今日の日本は，先進国の中でも老年人口割合が最も
小さい国の一つであるが，今後は急速に高齢化が進んでいくこと
が予想されている。7-1図で明らかなように，老年人口の比率
が7％から14％に倍増するのに要した時間は，フランスが115
年，スウェーデンが85年，イギリスおよび西ドイツが45年であ
るのに対し，日本は26年と見込まれている。このような急速な

高齢化に対処するために，日本政府が，「活力ある福祉社会」の建設を目標に掲げて諸施策を講じようとしていることは周知のとおりである。日本社会が欧米先進国のような先進国病にかかるか否かは，高齢化社会対策の成否にもまたかかっているのである。

経営と労働

　主要先進国の過去20年間の労働生産性の推移を見てみると（7 -2図参照），日本の生産性の伸びが欧米先進国に比べて著しいことが分かる。これが日本の産業競争力を高めた原因であるが，その背景には積極的な設備投資がある。欧米，特にヨーロッパの場合，投資意欲が減退し，技術開発，生産性向上を促進する雰囲気が失われている。アメリカでは，所有と経営の分離が徹底しており，経営者が短期的利益の追求に精を出すために長期的視点からの投資が行われにくい。利益が上がれば，それは配当として株主に還元すべきであるという考え方の強いところで，大胆な設備投資を期待する方が無理である。特にいわゆる「渡り鳥」経営者の場合，設備投資よりも財務経営に重点を置きがちとなる。ヨーロッパでは，階級社会の色彩が色濃く残っており，かつてのフランスで「200家族の支配」と言われたように，企業経営は同族支配的要素が強い。そこでは，日本やアメリカに比べて所有と経営の分離が徹底しておらず，経営のプロによる革新的・積極的企業戦略とは無縁な保守的で防衛的な姿勢が生まれやすい。

　日本の企業の経営戦略の基本はいかにシェアを拡大するかということであり，経営者は各業界で自社の占めるシェアの増減に一

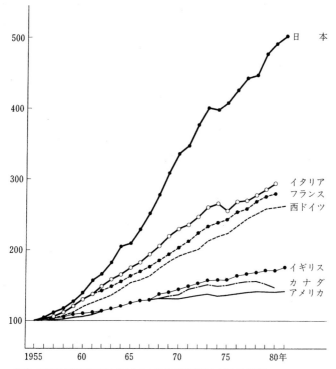

7-2図　主要国の労働生産性の推移（1955年＝100）

日　本

イタリア
フランス
西ドイツ

イギリス
カ　ナ　ダ
アメリカ

500

400

300

200

100

1955　　60　　　65　　　70　　　75　　　80年

（注）　就業者（軍事従事者を除く）1人当りの実質GNP（またはGDP）
（資料）　大統領経済報告，Survey of Current Business，国民所得統計，労働力調査年報，
　　　　Statistisches Jahrbuch，ブンデスバンク月報，Economic Trends OECD-National
　　　　Accounts および Labor Force Statistics.

喜一憂する。これに対してヨーロッパでは，中世のギルド的発想
が今なお強く，シェアというものは所与のもので，それぞれが持
ち分を守り，その枠内でいかに利益を上げるかということを考え
る。たとえば高級ブランド商品に見られるように，いかに成功し
ようと年間生産量を一定にして，単価の上昇によって増収を図ろ
うとするのである。日本の経営者なら，いかに大量に生産し，販

売単価を引き下げ、世界市場を制覇してシェアを拡大し、利益を上げるかということを考えるであろう。それは悪名高い「集中豪雨的輸出」となって帰結し、日本と欧米諸国との貿易摩擦をひき起こしている。今日では、日本の経営者も企業戦略を変更する必要に迫られているが、ヨーロッパのギルド的経営発想にも問題があることは否めまい。ギルドの枠内で十分増収が可能だとすれば、将来に向かって積極的に設備投資をしようとする意欲は生まれてこないし、まして、経営規模を拡大し、長期的な利益を目指して短期的な犠牲を甘受するという態度など期待できないであろう。

　先進国病の症状は労働の側面においてもまた看取される。週当り実労働時間は、1980年で日本が41.6時間であるのに対し、アメリカおよびイギリスが36.3時間、フランスが34.3時間、そして西ドイツが33.3時間である。年間実労働時間では、日本が約2100時間、アメリカ、イギリスが約1900時間、フランスが約1800時間、西ドイツが約1700時間である。しかも、特にヨーロッパ諸国では、有給休暇を1カ月近くまとめてとる習慣が一般化している。また実労働時間当りの賃金水準は、1980年で日本を100としたとき、アメリカ165.5、イギリス125.3、西ドイツ190.7、フランス128.3である。

　欧米諸国との貿易摩擦の激化に伴って、日本人の働きすぎが問題になり、今日では労働時間の短縮が日本の大きな課題となっているが、欧米のように生産性を上まわる労働コストの上昇があるところで、資本の側が投資意欲を失うのは決して不思議ではない。さらには、西ドイツの徒弟制度（マイスター制度）に見られるよ

うな職業的教育システムが技術革新に適応できなかったことや，未熟練婦人労働者の職場進出や外国人労働者の導入も，労働者の質の低下を加速したと言えよう。

　労働コストの上昇については，特にヨーロッパで，社会民主党政権下のスウェーデンおよび西ドイツ，労働党政権下のイギリスで大幅な賃上げが行われ，企業の利潤が減少していった。欧米で大幅な賃上げをかちとる原動力となった労働組合は，日本のような企業内組合と異なり，企業の外に組織される産業別組合であり，これが圧力団体として政治過程に大きな影響を及ぼしてきた。たとえばイギリスでは，保守党の支配した1970〜74年の間，労働組合による政治ストが続発した。この期間に，「労使関係法」案に反対する抗議ストで300万労働日以上，全国労使関係裁判所決定に反対する抗議ストで100万日以上，所得政策に反対する抗議ストで160万日以上が失われたという。また西ドイツでは，1976年7月に制定された拡大共同決定法により，従業員2000人以上の企業では労働者の経営参加が実現している。このシステムによって労働者の労働意欲が高められ，西ドイツの経済力が強化されることが期待されたのであるが，必ずしも期待通りの成果が上がっているとは言いがたい現状である。

移　民　問　題

　欧米諸国における労働問題を論じるときに避けて通れないのは，移民・外国人労働者の問題である。

　ヨーロッパでは，1950年代半ば以降の高度成長期に北欧諸国や

イギリス，フランス，西ドイツ，スイスなどの労働力不足を補うために外国人労働者が大量に導入された。1973 年の石油危機以降は，労働力移入は頭打ち傾向にあるが，1975 年段階で EC 9 カ国の総労働者 8393 万人中，外国人労働者は 611 万人（7.3%）にのぼり，そのうち EC 諸国出身労働者は 160 万人（1.9%）で，残りは EC 以外の出身者である。

　イギリスでは，1950 年代半ば以降，まず西インド諸島から，次いでインド，パキスタンから「黒い移民」の流れが始まり，1972 年には年間 9 万人というピークに達した。移入者の出身地域を 1980 年について見ると，同年の移入者 7 万人のうち，パキスタンを含むニューコモンウェルスから 48%，オールドコモンウェルスから 10%，東南アジアからの難民が 13%，その他の外国から 29% となっている。1976 年において，イギリスでは，ニューコモンウェルスからの移入者およびその子供の人口は総人口の 3.3% にあたる 177 万人に達している。彼らは，概して労働条件の過酷な職種に就き，失業率もイギリス人の平均よりも高く，犯罪率も高い。さらに今日では，全外国人の 40% がイギリスで出生しており，社会的にはいわゆる第二世代の問題が大きくなっている。イギリスでは経済の不況が深まっていくにつれて，人種的少数派に対する反感が強まり，彼らをスケープゴートにしようとする傾向も強まっている。

　フランスでは，特に 1950 年代後半以降，高度成長とともに外国人労働者の移入が増え，一時は経済の停滞とともに減少したものの，1970 年にはピーク（年間 17 万人）に達した。その後，石

油危機や政府の移民抑制策の強化によって労働移入は激減し，1980 年にはその数は 1 万 7370 人にとどまった。1980 年において，フランスに住む外国人人口は 420 万人（全人口の 8%）の多きに達している。その内訳を見ると，ポルトガル，スペイン，イタリアなどの隣接南欧諸国と北アフリカ旧植民地からの出身者が 75% を占めている。フランスもイギリスと同様の問題を抱えているが，外国人労働者にとって特に失業問題は厳しく，失業増加率はフランス人労働者の約 2 倍にものぼっている。さらに，イスラム文明圏（北アフリカ）からの移民がひき起こす社会的・文化的軋轢は，教育をはじめとして大きな社会問題となっている。

西ドイツでは，戦後の経済発展に伴い，まずギリシア，スペイン，次いでトルコ，ユーゴスラヴィアから労働者が流入し，1965 年頃，その数は最高に達した。その後，1967 年に小規模な不況に見舞われた際には本国へ帰る者が増加したが，1970 年頃には移入数は再びピークをむかえた。しかし，1973 年の石油危機に際して政府が新しい労働移入を中止したため，その数は激減した。今日，西ドイツの外国人人口は 450 万人（全人口の 7%）に達しており，トルコ，ユーゴスラヴィア，イタリア，ギリシアからの出身者が大半を占めている。西ドイツでも失業は外国人労働者にとって深刻な問題であり，特に 1980 年後半以降，彼らの失業率がドイツ人に比べて高くなっている。また西ドイツでも，イギリス同様に第二世代の問題が悩みの種であるが，イスラム文明とキリスト教文明との相違からくる摩擦から，人種集団の中では特にトルコ人が社会的問題をひき起こしている。具体的には，文盲率

の高さ，劣悪居住区への集中，トルコ人内部での左右の政治的対立や武装抗争などが指摘されている。

　スイスやスウェーデンでは，移入労働者の出身国は，前者ではイタリアやスペイン，後者ではフィンランドと圧倒的に他のヨーロッパ諸国が多く，文化の違いからくる社会的問題には，西ドイツやフランスのように悩まされることは少ない。しかしながら，これらの国でも，経済不況の影響を最も深刻に被っているのが外国人労働者であることに変りはない。

　以上のように，外国人労働者問題が，失業，犯罪，教育といった問題をめぐって，今日のヨーロッパ社会に暗い影を投げかけていることを忘れてはならない。

　一方，アメリカはそもそも移民によって形成された国家であり，外国人労働者の問題はヨーロッパとは異なった視点から考察されねばならない。アメリカにおける大量移民時代は第一次世界大戦を機に終わり，1921 年以降は地域別受入枠制度に従って，新規移入は出身国別に割当て枠が課せられることになった。

　現在，この枠内で毎年 30 万人程度が移入しているが，近年はラテンアメリカやアジアからの移民が増加している。1978 年の移民の出身国の順位は，①メキシコ，②西インド諸島，③ベトナム，④フィリピン，⑤韓国，⑥中国・台湾，⑦インド，となっている。さらに合法的移民のみならず，年間数十万人にのぼる不法入国者の存在も見のがせない。いずれにしても，移入者の増加は失業率を押し上げるとともに，移民に対する行政サービスは公共支出の増大という結果を招いているのである。しかも，近年の移

民は，たとえ単純労働であっても言葉の障害から労働の質の低下
をもたらしかねないし，またその社会的不適応は，アメリカの都
市問題を一層複雑にしているといえよう。

　欧米先進諸国は，外国人労働者や移民の問題でも，いわば高度
成長時代のツケを払わされているのであり，先進国病の症状をさ
らに悪化させている。最近では急速な円高の進行で，日本でも合
法・不法を問わず外国人労働者の流入が増えており，「じゃぱゆ
きさん」のような形で労働移入の問題が争点化しつつあるが，欧
米諸国に比べれば，日本は外国人労働者問題とはほとんど無縁で
あると言ってもよい。それゆえ，経済大国になりながら，日本が
難民の受入れに消極的であると，国際世論の非難が集中すること
になるのである。その意味で，これからの日本にとって，モノ，
カネに次いで，ヒトの面での国際化が大きな課題となっていくで
あろう。

2　社会・経済の構造変化と価値観の変化

ソフト化

　先進工業国は「豊かな社会」をつくり上げる過程で，経済や社
会の構造に大きな変化をもたらした。経済について言えば，物財
生産中心の経済から情報・サービス中心の経済への移行がそれで
あり，それをたとえばダニエル・ベルは「脱工業社会の到来」と
名づけた。

　ベルは，社会の変化を，前工業社会→工業社会→脱工業社会と

図式化し，それぞれの段階で第一次産業，第二次産業，第三次産業が中心になるとした（『脱工業社会の到来』1973 年）。

この経済発展の 3 段階を文明論的立場から論じたのが，アルヴィン・トフラーで，農業段階の第一の波，産業段階の第二の波に続いて，今日の先進社会は第三の波を経験しつつあるという（『第三の波』1980 年）。そして，この第三の波は，約 230 年前の産業革命にも匹敵する現代の革命であり，全く新しい文明の出現であるとされる。

ジョン・ネイスビッツもまた，その著『メガトレンド』（1982年）の中で，今日のアメリカ社会の変化を 10 の巨大な潮流として把握する。それは，①産業社会→情報社会，②強制された技術→ハイテク・ハイタッチ，③国民経済→世界経済，④短期的→長期的，⑤中央集権→地方分権，⑥公的扶助→自助，⑦代議制民主主義→参加民主主義，⑧ヒエラルキー→ネットワーク，⑨北部→南部，⑩二者択一→選択肢の複数化，というものである。

ベルやトフラーやネイスビッツが鋭く指摘した現代の先進工業国の社会・経済の構造的変化は，日本の論者によっても注目された。1983 年 6 月に大蔵省の「経済の構造変化と政策の研究会」は，『ソフトノミックスの提唱』という報告書を発表し，この新しい潮流を「ソフト化」と呼んだ。「ソフトノミックス」とは「ソフト」＋「エコノミックス」を意味するが，ソフト化経済センターの『ソフト化白書』（1985 年 10 月）によれば，ソフトとは「人間活動の成果で重量や形はないが，効用を持っているもの」であり，具体的には，情報とサービスを意味する。そして，

ソフト化とは「物財，エネルギーなどのハードよりも，情報，サービスなどの市場価値が相対的に高まること」と定義される。現代の日本は，まさにソフト化の真っ只中にあって，経済や社会が大きく変化しているが，それに人々の意識が追いつけずにさまざまな問題が生じているのである。

　社会や経済のソフト化の特徴としては，①情報化・知識集約化——科学技術・生活のソフト化，②人々の意識の変化——文化的・精神的豊かさへ，③システムの変化——小規模・分散型の見直し，④経済のソフト化——サービス化・軽薄短小化，があげられる。このような新しい潮流がうまれたのは，先進国が科学技術の発展とともに重化学工業化に成功し，「豊かな社会」を実現したにもかかわらず，公害や先進国病や資源問題にみられるような生存条件の悪化に見舞われたことに対する反省がある。つまり，従来のような「ハード・パス」（人工の途）一本やりではなく，その成果を継承しつつ，その問題を克服し，前近代の「ソフト・パス」（自然の途）に戻ることを否定したうえで，新しい途「ホロニック・パス」（ハード・パスのソフト化），つまりハードとソフトの新たな調和，人間と人工と自然との調和ある共存を追求しようという認識があるのである。

　ところで，ソフト化経済センターは，ソフト化を推し進める要因として，①価値観の多様化，②情報化，③ハイテク化，④国際化，⑤高学歴化，⑥高齢化，⑦女性の社会進出の７つをあげ，これらをソフトレンドと呼んでいる。以下，これらの７つのソフトレンドを『ソフト化白書』にしたがってまとめてみよう。

(1) 価値観の多様化　「豊かな社会」を実現した今日，人々は物質的な豊かさよりも精神的な豊かさを求めるようになる。総理府の「国民生活に関する世論調査」によれば，日本でも 1976 年以降，「心の豊かさを求める者」の比率が「物の豊かさを求める者」の比率を上まわり，特に 1979 年以降，両者の差が開いている。これまで個を犠牲にして集団や大義のために尽くしてきた人々が，今や自分の趣味や個人生活をより重要視するようになり，価値観の多様化が進んでいる。このことは人々の消費行動についてもみられ，それは，たとえば「大衆」から「分衆」への変化としてとらえられている（博報堂生活総合研究所編『「分衆」の誕生』1985 年）。

(2) 情報化　情報の重要性が増し，経済活動における情報活動の総量が大きくなっていく。そして情報の高付加価値化がはかられ（情報のデータベース化），情報関連産業が急速に成長し，職業のソフト化が進む。

(3) ハイテク化　今日，先端技術としては，マイクロエレクトロニクス，バイオテクノロジー，新素材などが注目を集めており，これらは，人々の生活に大きな影響を与えつつある。具体的には，人々が肉体労働や単純労働から解放されたり，また新しい製品やサービスを生み出すことによってさまざまなニュービジネスが創出されたりしている。

(4) 国際化　日本経済は今日，世界の GNP の約 1 割をも占めるくらい巨大になり，日本が世界の運命に大きな影響を与えるようになっている。それに伴って，モノ，カネ，ヒトについて国

際化が急速に進んでいるが，市場開放，金融の自由化などについてアメリカやヨーロッパの要求に日本が必ずしも十分に応えないために，これらの諸国との間に経済摩擦が生じている。特にヒトの国際化は最も遅れているが，今後とも国際化は不回避であり，それが外国人労働者の導入などの形で日本社会を大きく変えていく可能性がある。

(5) 高学歴化　　1984年の日本の高校進学率は94.1%，大学・短大進学率は35.5%であり，他の先進諸国と比べてもトップクラスに位置する。高学歴化は，これからの産業構造の変化に対応できる人材を供給することを可能にし，また価値観や消費の多様化も進めると考えられている。

(6) 高齢化　　1985年に日本の65歳以上の人口は総人口の10.3%にも達し，今後，この高齢化傾向にはさらに拍車がかかるものと予想されている。高齢化は，高齢者むけの健康，医療，娯楽などのサービス産業を増大させるとともに，ヘルスセンターや在宅ケアなどのニュービジネスを生む。さらに高齢者の消費は，質や精神的満足を重視したものとなり，ハードよりもソフトが求められることになる。

(7) 女性の社会進出　　日本の女子雇用者数は，1960年の738万人から1983年の1486万人と倍増しており，雇用者総数に占める割合も31.1%（1960年）から35.3%（1983年）に増えている。女性はソフト産業に労働力を提供するとともに，女性の社会的進出によって外食産業や家事代行サービスなどのニュービジネスが生まれている。

時　　代	ハード主導時代(1960年ごろ)	
社　　会 システム	中央集権(首都圏の時代) 集中化 量的拡大 規制 パックス・アメリカーナ	
産　　業	重厚長大(ハード型) 第二次産業中心	ソフトレンド1 **価値観の多様化**
企	経 営	大企業の時代 大資本優位 国内投資,設備投資中心 規模の利益 エクストラ 　ローリスク・ハイリターン 模倣優位 欧米から導入 製造部門重視 労働集約型 終身雇用 下請関係(親→子会社)
業	マーケティング	少品種大量販売 大規模マーケット 価格競争 性能
家　　庭	専業主婦 家庭内自給自足 青少年教育	
個　　人	画一(大衆) モーレツ派 蟻型 American Way of Life 人生60年	

ソフトレンド2　**情報化**
ソフトレンド3　**ハイテク化**
ソフトレンド4　**国際化**
ソフトレンド5　**高学歴化**
ソフトレンド6　**高齢化**
ソフトレンド7　**女性の社会進出**

ソフト化の時代(1985年ごろ)	ソフト化	ソフト化の全盛時(2000年ごろ)
地方分権(地方の時代)		自主運営(村の時代)
集中—分散(並存)		分散
質的向上		心の充足
規制緩和		自由放任
パックス・アメリカーナ崩壊進む		パックス・ジャポニカ？
軽薄短小(ソフト型)		ゼロ・ウエイト(ソフトそのもの)
第三次産業中心		情報・知識産業中心
大・中小企業の時代		個人企業の時代
中資本		小資本
海外投資，人への投資		地球投資，人への投資
多様化の利益		希少化の利益
ハイリスク・ハイリターン		ハイリスク・エクストラハイリターン
創造への模索		創造
独自開発		ソフト輸出
経理・販売部門重視		研究・企画部門重視
資本集約型		頭脳集約型
選択定年制，ポスト不足		テンポラリー雇用 能力主義
横請関係(対等関係)		ネットワーク関係(異業種提携)
多品種少量販売(短命)		注文販売
セグメント化(少衆)		セグメント化(個人)
ニュービジネス (文化志向)カルチャーセンター (レジャー志向)ツーリストクラブ (ヘルシー志向)スポーツクラブ (便利志向)コンビニエンス,レンタル		ニュービジネス (自己実現志向)？ (優越志向)？ (悟り志向)？ (安全志向)？
兼業主婦		家事
家事省力化，外部化		シェアリング主婦(夫)(夫婦による家事協業)
学校外教育(自主的)		家事無人化(HA)
多様(分衆・少衆)		生涯学習
ビューティフル派		階衆
蟻ぎりす型		エレガント派
New Way of Lifeの模索		きりぎりす型 New Japanese Way of Life
人生80年		人生100年

以上のようなソフトレンドが経済や社会のソフト化を進展させ
ているのであるが，このハードからソフトへの時代の変化を図式
化したものが7-3図である。

価値観の変化と政治行動

　先進工業諸国が第二次大戦後「豊かな社会」を実現すると，
人々の価値観も変化していき，またそれが彼らの政治行動にも影
響を与えるようになっていった。それは，たとえばシューマッハ
ーが唱えた "Small is beautiful" という価値観とか，「金よりも時
間」「量よりも質」「消費よりも自然の保護」を求めるような考え
方などが強まっていく過程であった。そしてそれは，政治行動と
しては，たとえば環境保護運動のような形で噴出していった。
　このような変化を「物質主義」から「脱物質主義」への価値観
の変化としてとらえたのが，ロナルド・イングルハートである
(『静かなる革命』1977年)。彼は，心理学者 A. H. マズローの欲
求序列の研究に依拠して，先進国の国民が空前の繁栄を経験した
ために，単なる生理的欲求の満足ではない，他の型の価値を追求
するようになったという。マズローは，人間の基本的な欲求を，
①生理的欲求（生存欲求），②安全に対する欲求，③愛，帰属，
尊敬への欲求，④知的・美的満足と結びついた「自己実現欲求」
に序列化しているが，①②が満たされると，人々は③④を求めよ
うとすると主張する。イングルハートは，①②を物質主義的価値，
③④を脱物質主義的価値と名づけ，アンケート方式によって欧米
先進諸国の価値観のタイプを明らかにしようとした。

調査内容は，以下のA，B，C 3群それぞれの4つの項目を，被調査者に重要性に従って序列づけてもらおうというものである。

〈A群〉

　　①高度経済成長の維持

　　②強力な防衛力の確保

　　③職場や地域社会でものごとがいかに決定されるかについて，人々の発言権を増すように努めること

　　④自分自身の町や田舎をもっと美しくするように努めること

〈B群〉

　　①国内秩序の維持

　　②重要な政府決定に際して人々の発言権を増すこと

　　③物価上昇との戦い

　　④言論の自由の保護

〈C群〉

　　①経済の安定維持

　　②人格を尊重する，もっと人間的な社会への前進

　　③犯罪との戦い

　　④思想が金銭より重きをなすような社会への前進

　さて，以上の12の項目が探ろうとする基本的欲求は，A—①，B—③，C—①が生存欲求，A—②，B—①，C—③が安全欲求であり，残りの6つが脱物質主義的欲求である（7-4図参照）。そして，このような調査によって，イングルハートは，ヨーロッパ諸国における価値タイプの分布を7-2表のような形で示している。また，7-3表によって，一般的に若者ほど脱物質主義者

7-4図　質問項目と基本的欲求

社会的および自己実現的欲求（脱物質主義者）	美　　的：美しい町／自然　思想の重視　**言論の自由**
	知　　的：
	帰属および評価：もっと非人間的でない社会　職場，地域社会でもっと多くの発言権　**政府に対するもっと多くの発言権**
生　理　的　欲　求（物質主義者）	安　全　欲　求：強力な防衛力　犯罪との戦い　**秩序の維持**
	生　存　欲　求：経済の安定　経済成長　**物価上昇との戦い**

（出所）　R.イングルハート（三宅一郎ほか訳）『静かなる革命』東洋経済新報社，1978年，44
ページ

が多いことがうかがい知れる。

　ところで，このように現代社会において脱物質主義的価値観が
強まっていくと，それは政治行動にも大きな影響を及ぼす。イン
グルハートは，それを，政治争点，政治の社会的クリーヴィッジ，
国家への忠誠，政治参加の型，の4点について分析している。

　まず第1の政治争点については，物質主義的価値観を反映する
経済問題が相対的に重要性を低下させ，自己実現や参加欲求に基
づく環境保護，生活の質，女性の役割といった問題が新たな重要
性を帯びてくる。次に，政治行動に社会階層の相違がどのように
反映されるかという問題については，新しい争点の発生によって，
従来のような単純なブルジョア階級対労働者階級という図式が成
立しなくなってきていることが指摘される。第3の国家機構への
忠誠については，先進国の政府が脱物質主義的な新しい争点，新
しい問題に対する満足のいく解決法を呈示できないために，政府

7-2表　価値観の型の分布の時間的変化

(1970年2〜3月，1973年9〜10月，1976年11月の4項目指数による)

	イ ギ リ ス			ド イ ツ			フ ラ ン ス		
	1970年	1973年	1976年	1970年	1973年	1976年	1970年	1973年	1976年
物質主義者	36%	32%	37%	43%	42%	41%	38%	35%	41%
脱物質主義者	8	8	8	10	8	11	11	12	12
	イ タ リ ア			ベ ル ギ ー			オ ラ ン ダ		
	1970年	1973年	1976年	1970年	1973年	1976年	1970年	1973年	1976年
物質主義者	35%	40%	41%	32%	25%	30%	30%	31%	32%
脱物質主義者	13	9	11	14	14	14	17	13	14

（出所）　R. イングルハート，前掲書，101 ページ

7-3表　年齢別による1970年から1976年にかけての価値観の移動

(7-2表で示されたヨーロッパ6カ国からの結果)

年　齢	1970年		1973年		1976年	
	物	脱	物	脱	物	脱
15-24	20%	24%	21%	20%	25%	20%
25-34	31	13	28	13	29	16
35-44	35	12	35	9	35	11
45-54	36	9	39	7	39	8
55-64	45	7	43	6	47	6
65以上	48	3	45	4	52	5
総　計	35	12	34	10	37	12

（出所）　7-2表に同じ

や国家機構に対する支持が低下していくという問題が起こっている。第4は政治参加のスタイルであるが，社会的参加により自己実現を目指す脱物質主義者は，政党や労働組合のような政治的エリートに指導される組織を通してではなく，直接民主主義的な方法によって政治参加を試みようとしていることが注目される。

　以上のようなイングルハートの主張が，個々の先進国の変化をどこまで正確に説明できるかについては多くの疑問も提出されているが，先進民主主義国における価値観変化の問題を研究する手

がかりを与えた点で，大いに注目に値しよう。特に，西ドイツの「緑の党」の誕生とその発展は，「静かなる革命」の好例として引用できるであろう。

　ところで，イングルハートが主として西ヨーロッパ諸国の観察に依拠して先進国における価値観変化を分析したとすれば，ダニエル・ヤンケロヴィッチは，アメリカにおける価値観変化の問題に焦点をあてて議論を展開する（『ニュールール』1981年）。

　ヤンケロヴィッチは，第二次大戦後のアメリカ人の価値観は1960年代を境に変化したと言う。1945年から1960年代はじめまでは，1930年代の大不況とその後の戦争時代の欠乏の記憶がまだ強く残っていたために，人々は経済的な安定をまず求めた。そこで追求されたのは，①家族価値，②消費価値，③中産階級価値の3つである。つまり第1は，平和で安定した家庭を築こうとする欲求，第2は自動車やテレビを入手しようという欲求で，他人が買えば自分もという画一主義であり，そして第3に中産階級の一員としての地位を得ようという欲求，つまり教育の重要性の強調がなされたのである。ところが，1960年代になると，このような価値に替わるものが生まれてくる。

　第1の家族価値に替わって，個人主義的な考え方が強まってくる。出生率が低下し，働く父親と家にいる母と2人以上の子供という1950年代には典型的であったアメリカ家庭は，今やわずか全世帯の15％にすぎない。そして，家族よりも自分自身の生き方が重要視されるようになる。第2の消費価値については，消費生活を犠牲にするほど無関心ではないにしても，かつてのような

飽くなき消費熱は消え去っている。第3の中産階級価値については，他人と同様という指向から，何をもって「成功」とするかが人によって異なってきている。給料のためだけに働くのではなく，自分の生きがいのために働く人が増えており，そのため給料の低い仕事に転職する人もいるし，さらには大学卒という資格がもはや「成功」へのパスポートではなくなってきている。

　以上のような価値観の変化は，7-5図によってもうかがい知れる。ところで，1960年代から70年代にかけて生じたこのような個人主義的価値観の蔓延を指して，トム・ウルフは「ミーイズム」と呼び，クリスファー・ラッシュは「ナルシシズム（自己陶酔）の文化」と名づけた。これらの用語には否定的な響きがあるが，ヤンケロヴィッチは，むしろ新しい価値観を積極的に評価して「自己充足」という言葉で特色づける。つまり，たとえば富や家庭のために自己否定や自己犠牲を甘んじて受け入れる態度から，積極的に自己実現を図ろうとする態度に変化したことは，決して勤労意欲が衰えたことを意味しないというのである。しかも，自己充足を追求する人々は，むしろ深い人間関係を渇望し，コミュニティを求める欲求が強い。このように他者とのかかわりあいを重視する傾向を，ヤンケロヴィッチは「コミットメントの倫理」と呼ぶが，それは，たとえば宗教の復活とかホスピス運動とか脱サラとかいった社会現象をもまた説明しているとも言えよう。

　さて，先進国における価値観変化の問題を，日本の現代社会の分析を通して追求し，「新中間大衆（new middle mass）」の登場として特色づけたのは，村上泰亮である（『新中間大衆の時代』

7-5 図　社会規範の変化

17% 積極型の 自己充足者	63% 消極型の 自己充足者	20% 伝統的規範に 従っている人

1. 夫に扶養力があるのに、既婚女性が稼ぐことは容認しない　1938: 75%　1978: 26%
2. 家族にとって、4人まで（4人以上の子供が理想的である）　1945: 49%　1980: 16%
3. 女性が結婚しないとか「南のレイローゼ」か「不í達」だからだろう　1957: 80%　1978: 25%
4. 資本のある指名候補者なら大統領に投票する　1937: 31%/77%　1980: 85%
5. 婚前交渉は道徳的に悪い　1967: 85%　1979: 37%
6. 3カ月までなら自分の意志で妊娠してもよい　1973: 52%　1980: 60%

7. 男親も女親も幼児の面倒をみる責任がある　1970: 33%　1980: 56%
8. 夫と妻がそれぞれ別々に休暇を過ごしてもよい　1971: 34%　1980: 51%
9. 「勤勉には、必ず報いがある」と思う　1969: 58%　1976: 43%
10. 「仕事は自分の人生の中核をなす」と思う　1970: 34%　1978: 13%
11. 働く必要はないが、親睦のためにずっと働いていく　男性 1957: 85%, 1976: 84%　女性 1957: 58%, 1976: 77%
12. 21〜39歳のアメリカ人の間で心配と悩みの度が増した　1957: 30%　1976: 49%

13. 「為政者とは私のような人たちがどうなっても気にしない」に同感である　1966: 26%　1977: 60%
14. 「政府が正しいことをして（れる）と信用できる」に同感　1958: 56%　1978: 29%
15. 「コミュニティーへの飢え」を感じる　1973: 32%　1980: 47%
16. アメリカ人は「やっぱり楽観的な人生観をもつ　1970: 38%　1980: 19%
17. 独身で子供をもつのは道徳的に容認できる　1979: 75%
18. 人種の違う結婚は道徳的に悪くない　1977: 62%
19. 結婚していなくても同棲するのは道徳的に悪くない　1978: 52%
20. 以下のことで過去の基準に従いたい　1979: 21%
　　—一生にまつわる習慣
　　—きちんとした家事
　　—女性は家におり、男性が外で働く

（出所）　D.ヤンケロヴィッチ（板坂元訳）『ニュー・ルール』三笠書房、1982年、120ページ

1984年)。総理府が毎年おこなっている国民生活調査の中の「お宅の生活程度は世間一般からみて，上，中の上，中の中，中の下，下のどれに入ると思うか」という質問に対する答えは，「中」のいずれかに属すると解答する者が圧倒的に多いが，その比率は1960年代後半以降，9割に達している。村上は，この現象をとらえて，「伝統的な意味での中産階級の輪郭は消え去りつつあり，階層的に構造化されない膨大な大衆が歴史の舞台に登場してきた」と考え，この「膨大な大衆」を「新中間大衆」と名づける。

　戦後の経済的繁栄は，政治的次元では平等化を，経済的次元では行政化を推し進め，階層構造に大きな影響を与えた。生活様式や教育の点でも均質化が進んで，階層化の力が緩んでいった。また価値観の次元でも，かつての中産階級ではなく，膨大な一般大衆が主導権を握るようになったのである。

　ところで，村上は，「新中間大衆」の登場が政治に与えた影響として，3つの点を指摘している。第1は，階級イデオロギーに基づく政治の衰退である。1960年代半ば以降，自民党と社会党の支持率が低下し，「支持政党なし」層が増加したのはそのあらわれである。第2に，新中間大衆は何らかの既得権益に関わっており，その意味で保身的であって，政党支持はもはやかつてのような世界観に基づくものではないということである。そのため，新中間大衆は自らの政治的要求が満たされさえすれば，政権の内容にはこだわらず，その結果，多党化や政権の流動化が生じる。第3に，新中間大衆は「保身性」と並んで「批判性」をそなえている。つまり，彼らは「手段的価値」よりもむしろ「即自的価

値」を強く体現しているため，産業社会の批判者たりえ，それが
1960年代末から70年代初めにかけて「新左翼運動」としてあら
われたのである。

このような新中間大衆の登場は，かつてのような「保守対革
新」といった図式ではとらえきれない新しい政治現象を生んでい
る。しかも，「国際化」「情報化」「高齢化」といった新しい問題
に今日の日本社会は直面しており，今後これらの問題が日本の政
治にどのような影響を与えていくかを，注意深く見つめていく必
要があろう。

3　国際社会の変質と民主主義の将来

第二次大戦後の国際秩序は，アメリカの圧倒的な力によってつ
くり上げられたという意味で「パックス・アメリカーナ」と呼ぶ
ことができる。それは，①軍事，②経済，③金融，④文化，の4
つの柱から成り立っていた。①は強力なアメリカの軍事力が保障
する自由な政治体制，②は抜群の経済力を駆使してアメリカが発
展させた自由貿易体制，③はドルを基軸通貨とする国際金融シス
テム，そして④は「アメリカ的生活様式」や「アメリカン・デモ
クラシー」の世界への伝播である。

このような国際秩序は1960年代半ばまでは大きな試練にさら
されることなく続いていったが，アメリカがベトナム戦争の泥沼
に引きずり込まれていく60年代後半から，さまざまな問題に直
面するようになる。軍事的にはソ連が猛烈な勢いで軍拡に励み，

1970 年までには ICBM の数で，75 年までには SLBM の数でアメリカよりも優位に立つ。経済的には，経済復興を遂げた西欧や日本がアメリカの競争者として立ちあらわれる。国際金融についても，1971 年 8 月 15 日に，ニクソン大統領が金とドルとの兌換停止を発表し（ニクソン・ショック），73 年には世界的規模で変動相場制に移行する。アメリカがかつてのように恒常的に経常収支の黒字を計上できる状態は終わり，赤字国に転落してしまったために，固定平価制を維持することはもはや不可能になったのである。さらに，国外ではベトナム戦争が，そして国内では人種差別問題が，アメリカが理想とし，世界に広めようとした生活様式や理念を色褪せたものとしてしまったのである。

　このように，パックス・アメリカーナに綻びが目立ちはじめる中で，1973 年後半には石油危機が起こり，それは先進工業国を直撃し，世界経済を混乱に陥れた。1960 年代末には，「豊かな社会」に慣れた世代が，成長一本槍の生き方に反発したが，石油危機で経済成長が鈍化すると再び，脱物質主義的価値観から物質主義的価値観への回帰――それを保守回帰と呼んでもよい――とでもいった傾向がうまれることになる。そして，不況が長期化するとともに，政治指導者がその経済運営の責任を問われるようになる。選挙になれば，失業やインフレが争点となり，国政を担当する者が長く政権の座にとどまれないような状況が生じかねない。それが実は 1970 年代の先進国の姿であり，1970 年代末の第二次石油危機はその傾向に拍車をかけたのであった。

　アメリカでは，ニクソン大統領の失脚後，フォード，カーター，

レーガンと選挙ごとに大統領が替わった。ヨーロッパでも，1979年5月にはイギリスで労働党が保守党に政権を譲り渡し，また1981年5月には，フランスでミッテランの社会党政権が誕生した。デンマークでは，1982年9月に10年間続いた社会民主党少数単独政権が総辞職し，1世紀ぶりに保守党主導の中道右派少数連立政権（保守，自由，中道，キリスト教人民党の4党連立）が成立した。西ドイツでは，大幅な財政赤字や失業増大といった経済問題にいかに対処するかという方策をめぐって，社会民主党と自由民主党が対立し，1982年9月，13年間続いた両党の連立政権が崩壊した。そして，シュミット政権にかわって，コール首相の率いるキリスト教民主同盟・キリスト教社会同盟と自由民主党の保守中道政権が誕生した。スウェーデンでは，半世紀にわたる社会民主党政権にかわって1976年に政権に就いた保守中道連合が1982年9月の選挙で敗退し，パルメに率いられる社会民主党が政権の座に返り咲いた。スペインでは，1982年10月の総選挙で，社会労働党が単独で下院の過半数を制し，1936〜39年の人民戦線内閣以来の左翼政権がうまれた。

　以上のように欧米では，1970年代の経済不況とともに政権交替が相次いで起こるようになっていった。パックス・アメリカーナの揺らぎとともに，国際経済にもさまざまな問題が生じるようになり，各国政府が独自の経済政策を講じて，自国のみが繁栄を享受するようなことは極めて困難となっている。1981年に誕生したフランスの社会党政権の例が示すように，他の先進諸国とは異なる経済政策を採用すれば，貿易赤字，失業，インフレといっ

た問題が悪化してしまう。世界経済が相互依存を深めている今日，「保守」「革新」を問わず，先進諸国が共同して，協調しつつ国際経済を運営していくしかない状況になっている。先進国サミットやG5，G7などは，そのような協調の制度化の試みである。そのような努力が実を結べば先進民主主義国の将来は明るいが，政権交替の有無にかかわらず，経済のファンダメンタルズに向上がみられなければ，不況の原因を外に求め（スケープ・ゴート探し），安易に保護主義に走ろうとする誘惑にかられることになる。

　高度福祉社会を実現した先進工業国において，自由な民主主義が左右の全体主義の挑戦に打ち勝つためには，何よりも新たな繁栄の条件を整備することが肝要であろう。そして，相互依存を深めつつある今日の国際社会においては，その条件整備は諸国民との協調においてはじめて可能なのである。

　〔参考文献〕
　D. ベル（内田忠夫・嘉治元郎ほか訳）『脱工業社会の到来』上下，ダイヤモンド社，1975 年
　R. イングルハート（三宅一郎ほか訳）『静かなる革命』東洋経済新報社，1978 年
　A. トフラー（徳山二郎・鈴木健次訳）『第三の波』日本放送出版協会，1980 年
　A. ギデンズ（市川統洋訳）『先進社会の階級構造』みすず書房，1977 年
　村上泰亮『新中間大衆の時代』中央公論社，1984 年
　D. ヤンケロヴィッチ（板坂元訳）『ニュールール』三笠書房，1982 年

J. ネイスビッツ（竹村健一訳）『メガトレンド』三笠書房，1983 年
岩永健吉郎『西欧の政治社会』東京大学出版会，1983 年
山崎正和『柔らかい個人主義の誕生』中央公論社，1984 年
『ソフト化白書』ソフト化経済センター，1985 年

8 ソ連・東欧の政治経済

1 東西関係の成立と展開

「社会主義世界体制」の形成と発展

　ロシアにおける 1917 年の社会主義革命の成功とソビエト政権の出現は，全世界に対して文字通り「衝撃」を与え，その後の国際政治・経済社会にはかりしれない影響を及ぼした。しかし，両大戦間の世界では，ソ連は実質的に唯一の社会主義国家であり，その国力は強いとはいえず，四面楚歌のような国際環境のもとでアウタルキー色の濃い「一国社会主義」の建設に努力せざるをえなかった。1924 年にモンゴル人民共和国が生まれているが，はなはだ弱い小国であった。

　それが，第二次世界大戦直後から 1949 年までのごく短い期間に，ソ連の強力な影響下に東ヨーロッパに多数の社会主義国家が誕生し，アジアでも 1949 年に中華人民共和国が成立するに及んで，「社会主義世界体制」が形成され，「資本主義世界体制」と対

峙するにいたった。

「社会主義世界体制」（普通には社会主義圏または共産圏と呼ばれている）はその後大きく発展し，今日ではその勢力は「資本主義世界体制」に拮抗するまでに拡大している。なかでもソ連は，社会主義の祖国，社会主義圏の指導国家として国際社会においてその地位を著しく高め，資本主義圏のアメリカに並ぶ超大国に成長している。

そして，社会主義圏を東とし，資本主義圏を西とする「東西関係」の形成とそこから派生する諸問題は，第二次大戦後から今日にいたる現代の世界にみられる極めて大きな，しかも基本的な特徴の1つになっている。

社会主義圏の現勢

社会主義諸国は現在，16カ国（ソ連，東ドイツ＝ドイツ民主共和国，チェコスロヴァキア，ポーランド，ハンガリー，ルーマニア，ブルガリア，ユーゴスラヴィア，アルバニア，中国＝中華人民共和国，モンゴル，ベトナム，北朝鮮＝朝鮮民主主義人民共和国，カンボジア，ラオスおよびキューバ）を数える。

世界全体では大小170カ国に近い国々が存在することからすれば，社会主義諸国の数は多いとはいえない。だが，社会主義圏は今日，世界総面積の約26％，世界全人口の約3分の1，世界工業総生産高の約40％を占め（ソ連中央統計局編『1985年度ソ連国民経済統計集』モスクワ，1986年），東西関係緊張のような事態ともなれば，その存在は圧倒的力感をともなって西側世界に迫っ

8-1表　国民1人当り GNP（推定）の国際比較（1984年）

	米ドル		米ドル
ソ　　　連	7,120	アメリカ	15,470
東ドイツ	9,800	西ドイツ	10,070
チェコスロヴァキア	8,250	フランス	9,060
ポーランド	6,190	オランダ	8,580
ハンガリー	7,200	イギリス	7,560
ルーマニア	5,200	イタリア	6,180
ブルガリア	6,270	日　　　本	10,280
ユーゴスラヴィア	5,600		
中　　　国	300		

（出所）　CIA, *Handbook of Economic Statistics, 1985.*

てくるのである。

　とりわけソ連は，アメリカに次ぐ世界第2位の経済大国に成長して世界工業総生産高の約20％を生産していると自ら誇り，その軍事力はアメリカとパリティであるとアメリカ側は評価している。また，10億人を超える世界最大の人口を擁し，内外で開放化政策を遂行して近年台頭いちじるしい中国の国際的影響力も増大している。

　東欧諸国のうち，東ドイツとチェコスロヴァキアは西側先進諸国に比肩する高度工業国に成長し，ポーランドとハンガリーは東ドイツとチェコスロヴァキアに迫る中進工業国に発展している。ルーマニア，ブルガリアおよびユーゴスラヴィアは農業国の特質を色濃く残しているが，近代的工業部門が創設され，かれらの主張によれば，進んだ工農国に変容している。

　こうして，第二次大戦直後はヨーロッパの後進国であったソ連・東欧諸国は，比較的短い期間における高度経済成長の実現によって，世界のなかの主要な先進工業地域の一つを形成するにいたった。各国の生活水準の向上もいちじるしく，1人当り GNP は西側先進諸国の水準に迫るまでに増大した（8-1表参照）。

東西対立から平和共存へ

　社会主義体制のもとでは，生産手段は原則として国有または共有であり，経済は中央計画化管理制度のもとで国の総合的計画にもとづいて運営されている。そして社会主義のこの特質は，自由競争による私的利潤追求に絶対的価値をおく資本主義体制に対する批判から生まれてきたものである。

　このような歴史的経緯から，社会主義圏の成立と拡大は，資本主義圏のとくに支配者層から，資本主義圏の存立を揺るがす脅威とみなされる場合が多い。また，社会主義諸国の政治体制は共産党の一党独裁が原則であり，そのような強権政治は，議会制民主主義が基本的な資本主義圏では容認できないという考え方も強い。

　資本主義世界体制を防衛するため社会主義圏の進出を抑えるという議論は受容されやすく，実際にも「封じ込め」政策が強行されてきた。東西冷戦時代（1950 年代）は東西の対立関係がもっとも先鋭化した時代であったし，近くはソ連によるアフガニスタンへの軍事介入（1979 年 12 月）後に一時的に東西関係が冷却化したことは，われわれの記憶に新しい。こうして，東西関係は，国際政治あるいは国際関係論の視点からは，基本的に「対立」の関係として把握される場合が多い。

　しかし一方では，東西双方はそうした対立の緩和を意図し，相互に努力を重ねている。体制を異にする諸国の平和共存という思想は現代世界の一大潮流である。1959 年秋にアイゼンハワー大統領とフルシチョフ首相の間で行われたキャンプ・デービッド会談で方向が設定されて以来今日まで，東西平和共存路線は，基本

的に堅持されているといえる。とりわけ，1970年代は，米ソを中心とした「東西デタント」の時代であった。1980年代前半にいちじるしく悪化して前途が憂慮された米ソ関係は，双方から歩み寄りの根強い努力が重ねられ，レーガン大統領とゴルバチョフ書記長による第1次頂上会談（1985年11月）の後，87年12月には第3次頂上会談が実現し，改善の方向にある。

経済・貿易の分野では，東西の相互依存が深まり，東西貿易の顕著な拡大がみられている（第3節「東西経済関係」参照）。

社会主義圏内の動揺と「分極化」

1950年代の厳しい東西冷戦期に，社会主義諸国は団結し，一致協力して社会主義圏の発展をはかった。また，新生まもない東欧諸国や中国は，それぞれがめざした社会主義的工業化政策を実現していくうえで，圏内の経済大国であり，先進国であるソ連との相互関係を強化する必要があった。

ソ連もまた，社会主義圏の盟主として強権を振るった面はあるものの，第二次大戦で被った甚大な損害からの復興期という難局のもとで，東欧諸国や中国の経済建設に大きな援助を与えた。

こうして，1950年代には「共産主義の一枚岩」といわれた団結が実現し，ソ連と中国との蜜月時代が続いた。東欧諸国と中国における初期社会主義経済の建設は，ソ連型の過度に中央集権的な計画化システムを導入して実現されたのである。

しかしながら，一枚岩の団結の時代は長く続かなかった。早くも1948年には，ユーゴスラヴィアがソ連中心主義に抵抗し，社

会主義各国の自主性と分権化を重視する路線を主張してソ連から離反した。

　ソ連共産党第 20 回大会（1956 年 2 月）でのフルシチョフ第一書記によるスターリン批判は，東欧全体を激しく動揺させ，「自由化」への動きを刺激し，同年 6 月にはポーランドでポズナニ暴動，10 月にはハンガリーで反政府動乱が起こった。1960 年代に入るとユーゴスラヴィア，アルバニアおよびルーマニアが対ソ自主独立路線をいっそう鮮明にし，1968 年にはチェコスロヴァキアで自由化・民主化運動が高揚した。

　こうした東欧の自由化運動は，ハンガリー動乱やチェコスロヴァキア事件ではソ連の本格的軍事介入を招いて圧殺された。ソ連はまた，チェコスロヴァキアへの軍事介入を正当化するため，いわゆる「ブレジネフ・ドクトリン」（「制限主権論」）を打ち出し，強大な軍事力を背景に東欧に対する指導力の再確立をはかり，その後における東欧の自由化運動に大枠を設定して今日にいたっている。

　しかしながら，ソ連のそうした制限策にもかかわらず，東欧における自由化と自主独立を求める動きは連綿として持続しており，1980 年代においてはポーランドで自主管理労働者の「連帯」運動が起こり，東ドイツやハンガリーの積極的な対西側接近が目立っている。

　こうして社会主義圏内では，各国がそれぞれの国家利益を主張して「分極化」あるいは「多極化」する傾向が深まっている。経済の分野でも，東欧諸国では過度に中央集権的なソ連型の計画化

システムが1960年代初期に行き詰まって経済不振の要因になったことから，東欧各国ではそれぞれの経済的諸条件に見合った発展路線が模索されるようになり，多様な「経済改革」の試行錯誤が繰り返されている。ユーゴスラヴィアやハンガリーのように中央計画化システムを緩和して分権化をはかり，市場原理を一部導入している国もあり，社会主義的計画化経済制度のあり方も多様化している。現在，ソ連でもペレストロイカ（再構築）が進行している。

東西両欧社会主義の「連帯」の可能性

　東欧諸国の自由化志向と対西側接近は，伝統的ヨーロッパへの回帰の精神と密接に結びついている。ソ連の西側からの先端的技術導入でさえ，歴史的視点からみれば，ピョートル大帝以来のヨーロッパ化政策の継承であるということができる。ロシアにおけるヨーロッパの科学・技術信仰はまことに根強いものがあるのである。

　今日，「東欧」が「東欧」と呼ばれるゆえんは，この地域の各国がソ連の強力な影響下に社会主義体制を守り，資本主義体制の「西欧」と対峙しているところにある。したがって，「東欧」とは政治的かつ人工的な地域定義であって，この地域はもともと，ヨーロッパなのである。この点からすれば，東欧において伝統的ヨーロッパへの回帰をめざす運動が繰り返されるのは，当然であるともいえる。

　社会主義の思想と制度はもともとヨーロッパで誕生したもので

8 - 2 表　中ソ貿易の推移

(100 万ルーブル)

	総　　額	ソ連の輸出	ソ連の輸入
1949	308. 6	179. 7	128. 9
50	518. 9	349. 4	169. 5
51	728. 8	430. 6	298. 2
52	871. 2	498. 8	372. 4
53	1, 055. 0	627. 8	427. 2
54	1, 203. 9	683. 4	520. 5
55	1, 252. 7	673. 5	579. 2
56	1, 347. 5	659. 7	687. 8
57	1, 154. 0	489. 7	664. 3
58	1, 363. 7	570. 6	793. 1
59	1, 849. 4	859. 1	990. 3
60	1, 498. 7	735. 4	763. 3
61	826. 9	330. 6	496. 3
62	674. 8	210. 1	464. 7
63	540. 2	168. 5	371. 7
64	404. 6	121. 8	282. 8
65	375. 5	172. 5	203. 0
66	286. 6	157. 8	128. 8
67	96. 3	45. 3	51. 0
68	86. 4	53. 4	33. 0
69	51. 1	25. 0	26. 1
70	41. 9	22. 4	19. 5
71	138. 7	70. 1	68. 6
72	210. 6	100. 2	110. 4
73	201. 3	100. 5	100. 8
74	213. 9	108. 4	105. 5
75	200. 9	93. 1	107. 8
76	314. 4	179. 8	134. 6
77	248. 5	118. 4	130. 1
78	338. 7	163. 8	174. 9
79	332. 5	175. 2	157. 3
80	316. 6	169. 6	147. 0
81	176. 8	82. 6	94. 2
82	223. 5	120. 1	103. 4
83	488. 2	255. 6	232. 6
84	977. 8	467. 9	509. 9
85	1, 604. 9	778. 8	826. 1

(出所)　『1918〜1966 年のソ連外国貿易統計集』(1967 年，モスクワ)，『1959〜1963 年の
　　　ソ連外国貿易統計集』(1965 年，モスクワ)，『ソ連外国貿易統計集』(各年度版)
　　　によって作成

あり，東欧の社会主義がソ連の強圧から真に解放されれば，西欧の社会主義と「連帯」する可能性は非常に大きい。ユーゴスラヴィアが国是とする「労働者自主管理制度」が国際社会に与えている影響は大きいし，ポーランドの労働者の「連帯」運動が勝利していれば，西欧のいわゆる「ユーロ・コミュニズム」との「連帯」へと発展していたであろう。

だが，このような事態は，東西両欧の現体制にとってとうてい容認できないわけで，東西ヨーロッパの接近は，現在の国際関係の枠組みのなかで，経済，文化，学術などの分野を中心に進むことになろう。

新しいソ連・中国関係の展開

ソ連と中国との関係が 1960 年代初め以来悪化し，激しい対立が 1980 年代半ばのつい最近まで続いたことは，われわれのよく知るところである。対立を通じて中ソ経済関係は極度に稀薄化し，1970 年の中ソ貿易は，ピーク時（1959 年）の 40 分の 1 にまで激減した。

1980 年代になって，中ソ関係はいちじるしく改善される方向にあり，社会主義圏内の新しい局面の展開として将来が注目されるところとなった。とくに中ソ貿易の回復はめざましく，1985 年には新しい 5 カ年貿易支払協定（1986～1990 年）が締結されて，1980 年代後半におけるいっそうの貿易拡大が見込まれている。1990 年の中ソ貿易は 1985 年に比べ倍増する予定である。

2 ソ連・東欧圏内部の政治経済体制

ワルシャワ条約機構

ソ連・東欧圏内部の大きな政治・経済的枠組みとしては，ワルシャワ条約機構とコメコン (Communist Economic Conference の略。これは西側での通称であり，正式には CMEA = Council for Mutual Economic Assistance = 経済相互援助会議) が存在している。

ワルシャワ条約機構は，NATO (北大西洋条約機構) に対抗するために 1955 年に結成されたソ連・東欧の軍事機構で，発足当初のこの目的と性格は現在も変わっていない。

しかしながら，東欧諸国には多数のソ連軍が常駐し，ソ連の第一国防次官が歴代の最高司令官に就任して実質的指揮権を完全に掌握しており，同条約機構がソ連による対東欧軍事支配の役割を担わされていることは否定できない。チェコスロヴァキアへのソ連の軍事介入がワルシャワ条約機構軍の名で実行されたことが想起される。

加盟国は現在，ソ連，東ドイツ，チェコスロヴァキア，ハンガリー，ルーマニアおよびブルガリアである。当初加盟国であったアルバニアは，チェコスロヴァキアへの軍事介入に抗議して 1968 年に脱退した。

ワルシャワ条約機構は20 年間の条約期限が 1975 年に満了した後，10 年間の自動延長を経て，1985 年 4 月に条約が更新され，

さらに20年間の延長が決定された。

コメコンの機構と特色

コメコンは1949年に設立された社会主義諸国間の経済協力機構である。アメリカが1947年に提案したマーシャル・プランに対抗する形で設立され，ソ連を中心に新生の東欧社会主義諸国が団結・協力して経済建設に取り組むことが当初の目的とされた。

こうした経緯から，コメコンの協力は，ソ連・東欧諸国の協力が中心である。しかし，コメコンの活動範囲は拡大しており，1986年現在，加盟国はソ連，東ドイツ，チェコスロヴァキア，ポーランド，ハンガリー，ルーマニア，ブルガリア，モンゴル，キューバ，およびベトナムの10カ国である。このほか，ユーゴスラヴィア，北朝鮮，アンゴラ，ラオス，エチオピア，モザンビーク，アフガニスタンがコメコンの活動に部分的に参加している。アルバニアは，当初，加盟国であったが，1968年夏のソ連軍のチェコスロヴァキア介入に抗議して，脱退した。

なお，コメコンは社会主義国の閉鎖的ブロックではなく，門戸は非社会主義諸国にも解放されているという主張がコメコン側にある。一部の発展途上諸国の部分的参加がそうした主張を裏づけているし，フィンランドやイラクがコメコンをパートナーに経済協力協定を締結している。最近では，リビアのコメコン加盟の噂もあり，コメコンと発展途上諸国とが将来どのような関係を形成しうるのか，国際的に注目されるところとなってきた。

コメコンと外部世界との関係でやはり近年国際的関心を集めて

いるのが，コメコンとEC（欧州共同体）との接近である。しかし，コメコンとECとは正式には相互に承認し合っていない。公的関係の樹立をめざして1970年代後半に接触が繰り返されたが，ソ連のアフガニスタンへの武力介入によって，そうした接触は具体的成果を生まないまま中断されてしまった。

しかし，経済統合体としての存在を認知させたいという意向は双方に強い。とりわけ東欧諸国は，EC共通通商政策に規制されて強大なECを相手に貿易交渉を行わなければならず，力関係からして不利を免れないことから，ECに拮抗する機関としてのコメコンに頼りたいものと見られる。1985年にはEC・コメコンの接触が再開された。一方，東欧諸国の間にはECとバイラテラルな貿易協定を結ぼうとする動きもあり，今後の成り行きが注目される。

   コメコンの経済協力の進展と問題点

コメコンは，その目的達成のため，各国の経済計画の調整，生産の専門化と協業化，物財の相互供給，大規模な共同資源開発や大型プロジェクトの共同建設，輸送力の増強などに努力し，みるべき成果をあげてきている。

資源開発とその輸送に関する協力は，とりわけ大きな成功を収めている。主として，ソ連国内の大規模な資源開発プロジェクトへ東欧諸国がさまざまな形で協力・参加し，ソ連が東欧諸国に対して長期的で安定した原燃料供給を行うものである。ソ連が世界最大の資源保有国であり，自国の需要を満たしてなお大量の輸出

余力をもつ一方で，東欧諸国は概して天然資源に恵まれないことから，資源開発協力は成立しやすいといえる。

東欧諸国が資源開発協力を通じて獲得している利益は大きく，今後もこうした協力を長期に維持していくことで，コンセンサスが確立されている。

資源開発協力の進展に比べ，経済統合と国際分業（生産の専門化と協業化）には多くの難題があり，円滑には進んでいない。

コメコンでは 1971 年に，1990 年までの長期的展望に立って「経済統合総合プログラム」が採択され，窮極的には経済統合がめざされている。ソ連は，コメコン諸国の経済統合を実現し，各国経済計画の調整と統合によって経済協力と貿易拡大を促進することを強く主張している。東欧諸国も，それぞれの経済規模は小さいことから，並行的な工業化をはかるよりは，国際分業を進め，コメコン統一市場を形成し，経済のスケール・メリットを追求する方が合理的であり，経済統合には原則として反対していない。実際にも，自動車生産や化学工業の一部で分業が実現している。

しかし，東欧諸国の一部には，経済統合によって自国の経済計画が強大なソ連の計画の中に組みこまれてしまい，経済主権が制限されかねないという恐れが強く，根強い反対がある。現実にも，各国のナショナル・インタレストが前面に出て，難題の生じる場合が多く，経済合理性を度外視した工業生産が行われているケースさえある。経済統合への道は遠い。

コメコンの現在ならびに将来の重要課題として，「ハイテクノロジー」と「省エネルギー」の共同研究・開発が浮上している。

双方とも，コメコン各国が経済近代化の軸に据えようと重視して
いるものであり，ソ連と東欧各国との間では1984〜86年に「2000
年までの長期経済・科学技術協力発展プログラム」が結ばれた。
この背景には，コメコン諸国の技術，とりわけエレクトロニクス
やコンピュータなどの最先端技術が西側先進諸国に比べて著しく
立ち遅れているという危機意識と，エネルギー資源の開発と輸送
においてソ連が多大の困難に直面し，東欧諸国への潤沢な供給増
大が不可能になったという差し迫った事情がある。

ソ連・東欧圏の経済動向と難局対策

　ソ連・東欧諸国の経済は1970年代半ば以降低成長化傾向を深
め，不振が目立つようになった。1980年代前半の5年間を期間
とした各国の経済5カ年計画は，主要経済目標がきわめて低目に
設定されていたにもかかわらず，軒並み未達成に終わった。経済
パフォーマンスが堅調であった例外国は，東ドイツだけである。

　各国の経済不振の内部要因としては，中央計画システムの硬直
化，必ずしも円滑に進行しない経済改革，原燃料不足と労働力不
足，投資の絶対的不足と分散，未完工プロジェクトの累積，農業
不振の恒常化と食料品需要の逼迫，労働意欲の減退，厳寒による
生産停滞等々があげられる。また対外的要因としては，ソ連から
の原燃料供給の量的制限と価格の大幅引上げ，対西側貿易の恒常
的インバランスと対西側債務の累増など，さまざまな問題があっ
た。

　ソ連・東欧諸国はいっせいに1986〜90年を期間とする5カ年

（年平均増加率　%）

	1966～1970 (第8次計画)		1971～1975 (第9次計画)		1976～1980 (第10次計画)		1981～1985 (第11次計画)		1986～1990 (第12次計画)
	計画①	実績②	計画③	実績④	計画⑤	実績⑥	計画⑦	実績⑧	計画⑨
支出国民所得	6.7～7.1	7.1	6.5～7.0	5.1	4.4～5.0	3.7	3.4	3.1	4.1
工業総生産高	8.0～8.4	8.4	7.3～7.9	7.4	6.2～6.8	4.4	4.7	3.7	4.6
(1)生産財	8.3～8.7	8.6	7.1～7.7	8.2	6.7～7.3	4.7	4.6	3.6	4.4
(2)消費財	7.4～7.9	8.3	7.6～8.2	6.5	5.4～5.7	3.9	4.8	3.8	4.9
農業総生産高	25[1]	21[1]	20～22[1]	13[1]	14～17[1]	9[1]	13[1]	5.5[1]	14.4[1]
投　資　総　額	47[1]	7.3	6.4～7.0	6.8	4.4～4.7	…	10.4[1]	15.4[1]	23.6[1]
工業の労働生産性	5.9～6.2	5.8	6.4～7.0	6.0	5.4～6.0	3.2	4.2	…	4.6
小売商品売上高	7.6	8.2	7.0	6.4	4.9～5.2	4.4	4.2	3.0	5.9
1人当り実質所得	5.4	5.9	5.4	4.4	3.7～4.1	3.2	3.2	2.1	2.7

（注）　1）先行5年間の合計に対する増加率
（出所）　①『プラウダ』(1966年2月20日)
　　　　　②『プラウダ』(1971年4月11日)
　　　　　③『プラウダ』(1971年4月11日)
　　　　　④『プラウダ』(1976年3月7日)
　　　　　⑤『プラウダ』(1976年3月7日)
　　　　　⑥『プラウダ』(1981年2月27日)
　　　　　⑦『プラウダ』(1981年11月18日)
　　　　　⑧⑨『プラウダ』(1986年6月19日)

計画期に入ったが，各国とも主要計画目標をきわめて控え目に設定して出発している。これは，内外の諸条件が改善されないばかりでなく，国際石油価格の大幅下落によるハード・カレンシー獲得能力の減退や，ソ連のチェルノブイリ原子力発電所の大事故（1986年）の否定的影響など，事態がいちじるしく悪化しているためである。

　経済の立直しと活性化は，ソ連・東欧諸国の指導者たちにとって最優先の重要課題として認識されている。しかし，かれらがそのためにとりうる有効な対策は少ない。限られた選択肢のなかで重視されているのは，科学技術進歩の促進とその成果の生産への急速な導入，省資源の徹底，労働規律の強化，そして経済改革の

	1971〜1975 (年平均)		1976〜1980 (年平均)		1981	1982
	計　画	実績	計　画	実績	実績	実績
東　ド　イ　ツ	4.8〜5.1	5.4	5.0	4.1	4.8	2.6
ポ　ー　ラ　ン　ド	7.0	9.8	7.0〜7.3	1.7	−12.0	−5.5
チェコスロヴァキア	5.1	5.7	4.9	3.6	−0.2	0.3
ハ　ン　ガ　リ　ー	5.5〜5.7	6.2	5.4〜5.7	3.2	2.5	2.6
ル　ー　マ　ニ　ア	11.0〜12.0	11.3	10.0〜11.0	7.2	2.2	2.7
ブ　ル　ガ　リ　ア	7.7〜8.5	7.8	7.7	6.1	5.0	4.2

(注)　1)　1983年4月に採択の3カ年(1983〜1985年)計画
(出所)　東欧各国の『統計年鑑』および各国政府の公表数字によって作成

促進である。

　科学技術進歩の促進や省資源の徹底については，その目的の実現のため，コメコン協力のいっそうの強化がめざされ，同時に西側先進諸国との広範な科学技術交流，西側からの先端的機械・設備の導入が重視されている。

　経済改革については，ソ連，東ドイツ，ルーマニアの改革は，伝統的な中央計画化システムの枠内でのそれであり，このシステムをできるだけ円滑に機能させることを目的としている。それに対して，ハンガリーでは計画と市場の結合をめざす改革が進められ，市場メカニズムが一定の範囲内で導入され，生産，流通，雇用の自主裁量権を企業に認めている。ポーランドもハンガリー型の改革を実施する方向にある。ブルガリアの改革は，いわば両者の「中間的」な特色をもっている。

3　東西経済関係

東西貿易の発展と動因

東西政治関係が対立の関係として捉えられる場合が多いのに対

経済成長（国民所得の増大）

（増加率 ％）

1983	1984	1985		1981～1985 （年平均）		1986～1990 （年平均）
実績	実績	計　画	実績	計　画	実績	計　画
4.4	5.5	4.4	4.8	5.1～5.4	4.5	4.4～4.7
6.0	5.0	3.0～3.5	3.0	3.3～3.8[1]	−0.8	3.0～4.0
2.3	3.2	3.2	3.2	2.7～3.0	1.8	3.4～3.5
0.3	2.7	2.3～2.8	−1.0	2.7～3.2	1.4	2.8～3.2
3.4	7.7	10.0	5.9	7.1	4.4	7.6～8.3
3.0	4.6	4.1	1.8	3.7	3.7	4.1～4.6

して，東西経済関係は相互依存が顕著な特色になっている。これ
はもちろん，東西双方に経済関係の拡大を促す動因があり，また
東西貿易の発展を求めるニーズがあるからである。

　東西貿易（ここでは，ソ連・東欧諸国と西側先進諸国との貿
易）は，1970年代前半から中葉にかけての東西デタントの時代
的雰囲気のもとで文字通り激増した後，第一次石油危機による世
界経済の混乱と低迷のもとで減少したが，1970年代末期には再
び活況を呈し，1980年には西側先進諸国からの輸出が479億ド
ル，輸入が475億ドル，往復954億ドルとなってピークを記録し
た（この輸出入額は国連欧州経済委員会の資料によっており，輸
出入額とも FOB ベースである）。

　しかし，1980年代前半の東西貿易は総じて不振であった。
1981～82年の顕著な落込みの後，1983～84年前半にかけて若干
の回復がみられたものの，1984年後半～85年には再び低調と
なった。

　東西貿易では，ソ連・東欧諸国側においてニーズがより高い。
外延的経済発展から内包的経済発展への基本的転換を図る一方，
大規模な資源開発プロジェクトにも取り組み，近代的工業の建設

		1970	1975	1979
西側先進諸国の輸出	ソ連・東欧合計	7,492	28,935	42,910
	ソ　連	2,812	13,173	20,039
	東　欧	4,680	15,762	22,870
西側先進諸国の輸入	ソ連・東欧合計	6,660	19,933	39,141
	ソ　連	2,501	8,999	19,846
	東　欧	4,159	10,934	19,295

(注)　1)　輸出入とも FOB
　　　 2)　暫定
(出所)　国連欧州経済委員会の年次報告, *Economic Survey of Europe in*

と国民の生活水準の向上に努力を傾けているソ連・東欧諸国にとって，西側から進んだ機械・設備や資材導入を実現し，不足する穀物や食肉，需要に見合った消費物資を輸入する必要性は高まるばかりである。したがって，経済的視点からすれば，デタントは東側の必然的選択といえる。ソ連・東欧諸国の近年の輸出入は，総額の 15〜35％ が西側先進諸国との取引で占められており，このシェアの高さが東西貿易の重要性を端的に示している。

　一方，西側先進諸国にとっても，東西貿易の利益は無視できないものである。西側諸国の対外貿易全体に占める東西貿易のシェアは，国によってかなり異なるものの，OECD 諸国平均では 4〜5％ であり，東側諸国に比べずっと低い。とはいえ，そうした平均的数値で東西貿易の意義が評価できるはずもなく，東側諸国が毎年 400〜450 億ドルにのぼる西側商品を輸入していることは，西側の多くの企業にとってもまことに大きな魅力である。

　西側諸国政府にとっても，例えば，長引く不況下で失業率が 10％ を超える西欧諸国の場合，東西貿易の縮小は企業業績の悪化に直結し，倒産から大量失業の発生を引き起こす危険性があり，そうなれば，国内の政治・社会問題が先鋭化することは必定であ

(西側先進諸国の輸出入[1])

(100万ドル)

1980	1981	1982	1983	1984	1985[2]
47,833	46,006	43,033	41,205	39,948	40,121
22,949	24,943	25,690	24,649	24,089	23,264
24,884	21,062	17,344	16,556	15,860	16,857
47,538	44,121	44,088	43,490	45,986	42,583
25,799	25,171	26,342	25,652	26,392	23,614
21,740	18,950	17,746	17,839	19,594	18,969

1985〜1986.

る。西ドイツでは，大小 1500〜2000 社の企業が東西貿易に従事しており，歴代の政権が東西貿易振興策を推進している。

相互依存関係の複雑化と今後の見通し

東西経済の相互依存関係が深まるにつれて，当然のことながら，双方の経済パフォーマンスは直接・間接に影響し合うようになった。したがって，東西貿易の動向は，基本的に経済的・商業的ファクターに左右されており，1980 年代前半の不振も東西双方の経済低調が主たる原因であった。

相互作用が強まるなかで，かつては存在しなかった複雑な問題も多発し，解決困難な問題も出ている。たとえば，第一次石油危機以後の国際情勢の緊張は，超資源保有国ソ連のエネルギー資源開発への大規模な東西協力を現出させた。1986 年初頭以来の国際石油価格の下落は，ハード・カレンシー獲得源を原油・石油製品輸出に大きく頼るソ連・東欧諸国に痛打を与え，東西貿易の先行き見通しを暗くしている。

また，1980 年代初めに東側諸国の対西側債務は「東側の債務危機」という見方が広がるほど膨張し，西側金融界を動揺させた。

農業不振を背景にしたソ連の大量の穀物買付けが世界の穀物需給に影響を与え，国際穀物価格を大きく変動させることはよく知られているし，巨額の穀物代金を賄うためのソ連の金売却が国際金相場を冷やすこともよくある。

　1980年代後半の世界経済見通しは，東西双方とも明るいとはいえない。東西貿易も見通し難であり，悲観的予想も多い。しかし，東西貿易のニーズは少しも変わっていないし，東西の経済相互依存関係はすでに分かちがたく緊密である。東西貿易は一進一退を繰り返しながら，なお拡大していくとみられる。

　ソ連の新しいタイプの指導者ゴルバチョフ書記長は，国内ではペレストロイカを推進する一方，対外政策では世界の共産化といったイデオロギー色を薄め，国際分業体制と相互依存の重要性を機会あるごとに強調しており，現実主義的外交を展開している。今後，米ソの経済的接近も予想され，東西の経済相互依存はいっそう深まっていくでろう。

〔参考文献〕
岩田昌征編『ソ連・東欧経済事情』有斐閣，1983年
川田侃・涂照彦『現代国際社会と経済』御茶の水書房，1983年
野々村一雄『ロシア・ソヴェト体制』TBSブリタニカ，1983年
金森久雄・小川和男編著『ゴルバチョフ改革』時事通信社，1986年
ソ連東欧貿易会『コメコンとECとの経済協力』ソ連東欧貿易会，
　　1983年
同『コメコン経済統合の再評価』ソ連東欧貿易会，1987年
小川和男『東西経済関係』時事通信社，1977年
同『ソ連の対外貿易と日本』時事通信社，1987年

中国の現代化政策
と対外開放政策

1 現代化政策の現状と問題点

中国における政策の大転換

周知のように，中国は，1976 年の毛沢東の死後，とりわけ 1978 年 12 月の中共中央第 11 期全国大会第 3 回会議において鄧小平の実権が確立して以後，経済，社会，そしていまや若干なりとも政治の面においても，大きく転換し始めた。今世紀末までに工業，農業，国防，科学技術の 4 つの現代化を達成するために，さらに 1 人当り国民所得 800 ドルを実現するために，中国は今やなりふりかまわず邁進し始めたのである。

経済の分野に限っても，この転換はイデオロギー，制度（生産関係），技術（生産力）の各側面にわたる。すなわち，毛沢東時代の「政治優先」から経済第一主義へ，思想重視から物質重視へ，自力更生から対外開放へと，イデオロギー上の重点は移り，経済制度の面では，個人所有制の復権，市場機能の活用，企業自主権

の拡大，物質的刺激の強調，といった政策がとられてきた。その結果，工農業生産は飛躍的に伸び，賃金，ボーナスや農民家計収入は大幅に増加した。特に変化は農村において著しいものがある。1955〜56年に実施した農業集団化，1958年の人民公社化をすべて否定するかのように，集団農業の解体と家族経営化，公社制度の解体と伝統的な郷村制の復活，そして多様な機能別組織の形成を進めてきた。

大転換の経済的背景

こうした政策の大転換の背景はいったい何であったのだろうか。ここでは，主にその経済的背景に焦点を当ててみることにする。考えられる原因として，例えば以下のようなことが挙げられる。

第1に，それまでの長期にわたる所得および消費の停滞があった。1970〜77年間の職員・労働者平均賃金の年平均伸び率はマイナス0.2%，同じく農民平均純収入の伸び率は1.3%にすぎなかったのに対して，1978〜84年間のそれは，それぞれ8.2%と17.7%にも達し，両期間の対照は著しいものがある。言い換えれば，毛沢東時代には長期にわたって個人所得や消費が軽視され，高蓄積・高投資が図られてきたのである。

第2に，そうして得た投資資金を，主として工業部門に投下しても，集権制社会主義体制のもつさまざまな欠陥から膨大な無駄と非能率を増幅するだけにすぎなかった。すなわち，毛沢東時代の経済成長は，量的に拡大する「外延的」成長が主であり，生産性の上昇を伴った「内包的」成長の段階にまで至らなかったので

ある。

　第3に，その点に密接に絡むが，1960年代から70年代にかけての世界的な技術革新の波に中国が取り残されてしまったことである。毛沢東らが主張した自力更生政策は，結果としては中国を夜郎自大にしてしまい，世界との技術ギャップをむしろ広げることになってしまった。特にこの期間，世界市場に積極的に進出し，外国資本の資金および技術の導入に熱心であった台湾などアジアの新興工業地域と比べ，中国は経済発展の動力という点で，決定的に遅れてしまった。以上のような原因だけでも，中国は遅かれ早かれ，政策と戦略の大転換を行わなければならなかったのだといえよう。毛沢東の死は，単にその時期を早めたにすぎない。

経済活性化の諸政策

　中国の政策はこのように大きく転換し，今もなお年々動きつつあるのであるが，1986年はじめまでの段階で，どのような経済活性化政策がとられてきたのか，ここでまとめてみることにする。

　第1に投資政策であるが，従来の古典的な重工業優先政策は修正され，軽工業ならびに住宅などの「非生産的」部門への投資が，相対的に増えてきた。1971〜80年の10年間に国有部門における基本建設投資額のうち，「生産性」建設に向けられたものの割合は77.6%，それに対して1981〜85年の5年間における割合は57.6%に低下したし，同じく工業投資に占める重工業投資の割合は88.3%から84.6%へと，若干なりとはいえ低下した。そのうえ，工業投資それ自身の割合も53.8%から47.1%へと低下し

てきた。このように投資構造が変化したのは、それを可能にした投資政策と制度があったからである。すなわち、人々を刺激づけ、労働意欲を高めるには、賃金・収入の引上げばかりではなく、労働者・農民の購入する消費財の増産を行わなければならなかったし、経済体制改革の結果自主権を与えられた企業が、兵器産業も含めて消費財生産に走ったり、あるいは留保利潤を住宅建設に向けたりしたのである。従来、国有部門の基本建設投資は基本的にすべて国家予算で賄われてきたが、地方や企業の自主財源で行う「予算外投資」の比重は70年代末から急速に伸び、1978年の16.7％から1985年には60.8％に達した。

　第2に、価格および市場政策があげられる。価格は、これまで基本的に中央が設定するものであった。しかし、経済体制改革の進行とともに、計画の役割が次第に後退し、市場が相対的に重視されてくるに従い、企業が設定する協議価格や、自由市場で決まる自由価格の比重が高まることになった。例えば、農業副業生産物買付け総額のうち公定価格による割合は1978年の84.7％から1984年の33.9％に激減し、一方、協議価格と自由価格による割合は7.4％から32.5％へと急上昇した。工業関係でも、日用品や繊維品は既に統制が外されており、集団所有の町村企業が生産した生産財や、国営企業が計画義務を果たしたのちの生産財も、市場取引にゆだねられることになった。こうした価格および市場機能の拡大は、1984年の中共中央第12期3中全会における「経済体制改革に関する決定」以後加速化される傾向にある。とはいえ、現在に至るも、中国の経済体制は基本的に計画経済であるこ

とを見落とすべきではない。重要な生産財生産と投資，それに価格決定は依然として中央が握っているのである。

　第3に，所有制の変革をあげることができよう。国有化すればするほど社会主義的になるといった従来の所有制観が揺らぎだしたのは，おそらく都市の失業問題がひとつのきっかけであったろうと思われる。文革が終わった時，一時期，中国の都市失業者は2千万人にも達したといわれる。こうした事態を打開するため，政府は失業者自らが個人企業を作ったり，集団で事業を興すことを奨励せざるを得なかった。その結果，小売業，飲食業，サービス業に従事する人員のうち，国有部門の比率は1978年末の62.8％から1985年末の15.9％へと激減したのに対して，個人部門の比率は4.3％から48.4％へと急増した。さらに，工業企業単位数に占める国有制企業の割合は1978年の24％から20.2％へと減少したのに対して，集団所有制企業のそれは76％から79.4％へと上昇した。1980年代初めから国有企業の一部が集団所有制化する傾向も現れ，その上，「所有と経営の分離」の結果，国有企業の経営権が集団および個人に委託され始めた。1984年末で，経営権の移転が行われた国営小型商業企業は5万8千個あまりに達するが，そのうち国家所有・集団経営のものが4万6千個あまりにのぼる。個人および集団企業の増大は，必ずしも失業対策の結果によるものではない。農業の非集団化により効率化が図られ，余った労働力が非農業，例えば運輸業や商業に乗りだしたためでもある。こうして，都市においても農村においても多数の個人・集団所有ならびに経営の企業が群生することになり，上述

した市場化政策に乗って，活発な経済活動を展開することになった。

　第4に，刺激制度の活用があげられる。いまや中国は物質的刺激万能の時代である。文化革命期に廃止された各種のボーナス制度が復活し，企業は争ってボーナスを支給し始めた。1981年に国務院は規定を設け，企業が年間に支給するボーナス額は，1ないし2カ月の標準賃金以内とし，多くても3カ月以内とした。1984年に再び国務院は規定を出し，ボーナス額に制限は設けないが，超額ボーナス税を納めるやり方をとることになった。賃金制度も改革され，従来の強い国家統制がはずれて，企業に昇給決定権限を与えるとともに，企業の成績にリンクした変動賃金制が普及し始めた。農村における生産責任制が，きわめて強い刺激効果をもたらしたことはいうまでもない。とくに「包乾到戸」制といわれる農家ごとの生産請負制は，国家および集団に一定量の供出ならびに控除を納めたのちには，農家が生産物を自由に処分できるというもので，党中央の予想を超え，瞬く間に全国に広がり，実質上集団農業を解体させてしまった。集団農業のもとでの「平均主義的分配」がなくなり，各農家は働けば働くほど収入が上がるようになった。

　第5に，上述した点に絡むが，分権化政策の積極的導入を指摘できる。従来，国営企業は名ばかりで，主管省庁の指令に従う「行政的付属物」でしかなかったが，1984年以後独立の生産者として，かなり大幅な自主権が与えられることになった。企業長は依然として国家から任命されるものの，「企業長責任制」のもと

で，独立した「経営者」として，国家や党の強い干渉を受けることなく行動できる建前になった。他方，地方政府も中央政府の単なる従属機関であることを止め，企業と同様に財政上独立した権限を享受する存在になった。中国はこれまでも 1958 年と 1970 年の 2 回，地方分権化を行ってきたが，これまでは主に企業管理権限や計画権限に関する分権化であったのに対して，今回は資金配分にかかわる本格的分権化といえよう。

最後に，対外開放政策が重要な経済活性化措置としてあげられるが，これについては次節で議論することにしよう。

経済活性化政策の弊害

以上みてきたいくつかの経済活性化措置の結果，確かに中国経済は躍動し始めた。1950 年代初めと 1960 年代の初めのように，内戦や大飢饉からの回復という異常時を除き，中国経済がかくも高い成長を達成したことは今までなかったことである。しかしその一方で，大きなひずみや矛盾が顕在化し始めたといえる。

1 つには，さまざまなアンバランスが拡大化してきたことである。例えば，エネルギーや輸送は中国経済における長年のボトルネック部門であるが，経済活動が活発化するにつれて，このネックは深刻化してきた。日本の公的資金を導入して鉄道，港湾能力の拡張に努めてはいるが，一朝一夕には解決できない。また，都市の住宅問題も深刻である。上述したように，確かに以前と比べれば住宅投資の割合は増えてきているが，あまりにも長期にわたり住宅建設を軽視してきたために，都市の 1 人当り住居面積は，

解放直後に比べても低下してしまった。その結果，結婚もできない若者たちが続出することになり，大きな社会問題になっている。経済のアンバランスといえば，中国が現在直面している大きな問題のひとつにインフレと外貨不足があげられる。経済の自由化・分権化を進めた結果，価格統制がゆるみ，インフレが顕在化し，企業や地方が争って輸入に走ったために，外貨が急減する事態が起きた。

　もう1つは，悪しき「経済主義」の横行である。毛沢東時代の政治優先ならびに禁欲主義に対する反発が強ければ強いほど，金銭万能や利己主義の風潮が強くなり，いうなればマルクスではなく，アダム・スミスの世界が出現することになった。これは，市場や貨幣，利潤，それに物質的刺激を重んずる現政権の政策から当然出てくることである。この風潮はまた，やはり当然のごとくさまざまな腐敗を生み出す。毛沢東時代にも「裏口」や「不正の風」はあった。しかし，公然と，また大規模に不正が行われるようになったのは，毛沢東以後である。党中央は，こうした事態に対して経済法の制定や，党員規律の強化などの方法で対抗しようとしているが，容易に解決し得ない。経済主義の活力だけは生かし，それがもたらす倫理的マイナス面を制御しようというのは，土台不可能なようである。

　さらに所得格差の拡大という問題がある。経済体制改革以後，全国的にみて所得が不平等化したことを示す二，三の証拠がある。1つには，所得不平等度を表すジニ係数が1982年の0.1485から1985年の0.175へ若干上昇したという調査報告がある。もう1

つは，全国 272 カ村，3 万 7422 戸を対象にした調査であるが，それによると，上位 25% の高収入農家と下位 25% の低収入農家の総収入額の比は，1978 年の 1：5.1 から 1984 年の 1：6.3 に広がっているという。また，1985 年末，洛陽のトラクター工場において，格差拡大に反対する抗議運動があったが，上述した新しい賃金・ボーナス制度の導入は，企業間および企業内の格差を拡大させるのに十分である。重要なことは，所得格差それ自体よりも，それが社会的，さらには政治的緊張を国内に生み出しやすいことである。農村内には企業家精神を発揮して金儲けに成功した農家に対して，周りのものが妬み，誹るという「紅眼病」が現れ，末端幹部がこうした成功農家に対してさまざまな圧力を加えるということがしばしば報じられている。

　とはいえ，いったん大きく切られた舵がもとに戻ることは考えられない。旧来の毛沢東モデル，すなわち大衆動員型で，平等主義的かつ自力更生的なモデルや，集権的経済体制は中国の実情にそぐわないし，また最大の戦略目標である 4 つの現代化の達成に不都合であることは，いまやはっきりしてきたのである。そのうえ，政策転換の今日までの成功は，人々をしてもはや昔の道を歩むのを困難にしてしまっている。大多数の人々にとっては，思想やイデオロギーよりも，今日，明日の確かな生活のほうがはるかに大事なのである。現政権が，毛沢東のようなカリスマ的指導者に欠け，かつてのようなイデオロギー的コントロールが弱まってしまったにもかかわらず安定しているのも，基本的にはこれまでの政策に対する民衆の支持が背景にあるからである。

2 対外開放政策とそのインパクト

1970年代末からの中国の積極的対外開放は目を見張らせるものがある。開放は，人，物，資金，情報のあらゆる面にわたっている。人の交流に関しては，「友好人士」や中国が公式に招待する団体しか中国に行けなかった時代から，誰でもが個人として行ける時代に変わってきたし，公式教義しか聞けなかった時代から，中国人の家に招かれ，あたり憚ることなく毛沢東批判を聞かされる時代になったことは，一時代前を知るものにとっては信じられないほどの大きな変化である。もちろん，われわれ外国人が自由に中国に行けるようになったばかりではない。多くの中国人が海外に出られるようになったし，新しい知識をそこで吸収できるようになった。

貿易諸原則の修正

物の面での開放，いいかえれば外国貿易における積極化については，現政権になってはじめて外国貿易にたいする態度が転換したといえる。従来の中国の貿易論は，以下の3つの原理から成り立っていた。

1つは「自力更生論」である。この理論の淵源は解放戦争期に求められようが，直接には1960年代の初め，中ソ論争が深刻化していく中で脚光を浴びたものである。この理論によれば，国内経済の自給が主であり，外国貿易はあくまで補完的なものである

べきだ，ということになる。その結果，例えば 1970 年代の初め
に中国が大量のプラントを輸入しようとした時，「洋奴主義」，
「崇洋媚外」（外国崇拝）として指導部が批判されることになった。

　次に「輸入のための輸出」論がある。すなわち，国内経済のた
めの輸入量が決まると，それに見合う形で輸出が決定されるとす
る考え方である。これは，社会主義計画経済論の伝統的理論のひ
とつであり，中国もそれを踏襲したにすぎない。この理論によれ
ば，輸出が経済発展の主導的役割を果たさず，外貨の獲得は二義
的意味しかない。ただし，輸出入は常に均衡する。そのかわり，
輸出のために国内消費が犠牲にされる。

　第 3 が政治主義である。すなわち，外国貿易も政治に奉仕すべ
きものであり，経済原理によって決定されるべきではないとする
考え方である。とりわけ国交回復前の日中貿易はしばしば政治の
波に洗われたが，これは中国が貿易に政治原則を絡ませたためで
ある。

　しかしいまや，こうした貿易諸原則は実質上修正され，中国は
貿易による経済発展，輸出振興による外貨獲得，そしてあらゆる
国との貿易拡大に励んでいる。かつては台湾と取引する外国企業
には中国貿易に参加する資格を与えられなかったが（1970 年の
いわゆる「周四条件」），いまや中国自身が，香港を通じて台湾と
貿易を推進する時代になった。1985 年にはこの種の貿易取引額
は 10 億ドルにも達し，前年比 2 倍になったといわれる。中国の
貿易依存度も当然高まり，輸出入総額に対する国民収入（物的生
産部門における純生産額）の比率は，1970 年の 5.9% から 1978

年の11.8%へ, さらに1985年の30.3%へと, 次第に上がってきた。

資金・技術導入面の開放

それでは資金や技術導入の面での開放はどうか。

中国は1950年代にソ連から156項目にわたる資金・技術援助を受けたが, 1960年代初めからは中ソ対立の激化に伴い, 日本や西欧からの借款に切り替え, 1970年代末までに百余億ドルにのぼる外資を導入し, もっぱらプラント輸入に当てた。しかし本格的に外資を導入し始めたのは, やはり1970年代末以降である。1979〜85年間に既に調印をすませた導入額は383余億ドル, 実際の使用額は218余億ドルに達している。この期間の外資導入の特徴は, 今までの方式が借款ないしクレジットであったのに対して, 外国資本の直接投資が主体になってきたことである。しかも外資100%の企業進出も歓迎し, 技術を移転し, 輸出して外貨を稼いでくれるものなら何でも迎え入れるという姿勢を顕著にしている。特に象徴的なことは, 経済特区と経済開発区の創設であろう。すなわち, 1980年に広東省の深圳, 珠海, 汕頭, 福建省の厦門の4カ所に税制などの面で外資を優遇した特別行政区を設けることが決められ, 1984年にはさらに, 深圳特区の順調な発展に刺激され, ほぼ同様な外資優遇措置を盛り込んだ経済開発区なるものを全国14地域に設けることになった。

重要なことは, こうした特別地域の創設は, 単に外国から資金や技術を導入し, 国内経済の発展・活性化を図るという経済的意

味ばかりではなく，香港，そしていずれは台湾の主権を回復しようとする，すぐれて政治的狙いも込められていることである。というのは，これらの地域，特に経済特区の経済は社会主義ではなく，国家資本主義であると見なされており，華僑資本が自由に活動できれば，香港や台湾に住む同胞にも北京政府の「一国家二制度論」，つまり1つの中国の中に異なる経済体制を許容するという政策に対する理解を得られると思われるからである。香港に関しては既に英中間の協定が締結され，1997年には中国に返還されることが決まっているが，それに合わせるように，香港のすぐ北側に広がる深圳特区の「香港化」が進められている。特区と内地の間には，第2の国境線というべき「第二管理線」が張られ，人や物の往来がコントロールされているのは興味深い。

理想と現実のギャップ

　もちろん，こうした開放政策が所期の効果を十分発揮しているかといえば，必ずしもそうではない。前節で指摘した貿易赤字は1985年に史上最高となり，中国の外貨準備が激減したが，それも輸出拡大が思わしくないことのひとつの表れであるし，経済特区や開発区を作り，さまざまな優遇措置を設けて外資を呼び入れようとしても，中国の期待した先端技術を伴った先進企業はなかなか来ようとはしない。1985年に特区の見直し論が強まり，以後輸出向け工業を中心とすることが確認されたのも，そうした現実と理想とのギャップを示している。あるいは，対外開放を進めた結果，外から「好ましからざる」思想や風俗が入ってきたこと

に対して，党内の正統派イデオロギストたちの反発も強まった。

　しかし，対外経済開放により，中国は着実に新しい歴史の一歩
を踏み出したのである。その政策の理論づけを行った理論家たち，
例えば宦郷や包心鑑らは，かつての国際経済における「社会主義
市場と資本主義市場の併存」論を退け，「世界的統一市場」論を
展開し，世界統一市場（そこでは資本主義が優勢である）に中国
や他の社会主義国も組み込まれていると主張した。さらに彼らに
よれば，技術は価値中立的であるとして，西側から自由に技術を
輸入できる道を作った。

　こうして開いた国際経済への窓を，どのような理由にせよ再び
閉じるわけにはいかない。それはちょうど，いったん改めた国内
経済体制を元の硬直した体制に戻せないのと同じである。問題は，
この対外開放と国内経済の活性化を，いかに有効に，また安定的
に結び付けるかということと，対外開放政策の与える外へのイン
パクトをどのように活用し，あるいは制御するか，という点にあ
るように思われる。ここでは後者の問題についてとりあげよう。

開放政策の周辺諸国へのインパクト

　中国の対外開放政策の周辺諸国に対するインパクトは，現段階
ではそれほどのものではない。まず貿易額をとって見ても，1984
年の輸出入総額は498億ドルで，台湾のそれをやや下回る程度で
あった。そのうち日本が26％を占めて第1位，香港が18％で第
2位，アメリカが7％で第3位となっていた。日本との間では恒
常的に輸入超過であり，1985年には貿易赤字額は44億ドルにも

達し，中国にとって最大の「貿易摩擦」問題になったことはよく知られている。しかし，貿易大国日本にとってはアメリカやヨーロッパとの貿易摩擦こそが問題であり，対中国摩擦はほとんど関心を引かなかった。東南アジア諸国にとっても，対日・対欧米貿易が重要であって，現時点では中国貿易の比重はそれほど高くない。ソ連をはじめとする周辺社会主義国も同様であり，確かに中ソの緊張が緩和されるに従い，中ソ貿易は着実に回復してきているが，1984年において両国いずれにとってもその割合はたかだか1％内外にすぎず，それが両国の経済に大きなインパクトを与えるにはほど遠い。

　資金や技術導入の面では，中国の対外開放のもたらす実際の影響力はさらに小さい。すなわち，中国は経済特別区を創設し，外資を積極的に呼び込もうとしてきたが，さきに指摘したように，今までのところ「笛吹けど踊らず」の感が強く，周辺諸国，特にアジアの新興工業地域や東南アジア諸国連合（ASEAN）に投下される外資の額が中国の新政策のために減少する，といった事態にはいたっていない。これは考えてみれば当然のことであり，先進資本主義国の資本にとって，他の条件が等しいとするなら，質の高い労働力，制度的安定性，発達したインフラストラクチュアのある地域，つまり中国よりも周辺諸国を投資先に選ぶであろう。1985年以降，中国の外貨管理が強化される中で，外国からの資材輸入に依存する度合いの高い対中国進出外国企業のかなりの部分が立ち往生する反面，円高対策の一環として台湾などへ工場を移転する企業が続出したのは，これら2つの地域の外資吸収力の

差を示唆しているようである。

　それでは，中国の対外開放が，政治・外交上の意味はともかく，周辺諸国に経済的インパクトを全く与えてこなかったかといえば，決してそうではない。直接的な，あるいは目に見える形でのインパクトは小さかったであろうが，間接的・潜在的影響力は無視し得ないものがあったのではなかろうか。

　その第1が，朝鮮民主主義人民共和国（以下，北朝鮮と呼ぶ）に対する影響である。1984年，北朝鮮は「合弁法」を制定し，それまで西側に閉ざしていた外資導入の窓をようやく開け始めた。伝えられるかぎり，この試みは今までのところまだほとんど実績をあげていない。また，中国の合弁関係諸法に比べ，外資導入に対する積極的姿勢に欠けるところがある。しかし重要なことは，明らかに中国の対外開放の成果を研究しつつ，外に向かって頑なな態度をとりがちであった北朝鮮が，とにかく自らを開放し始めたことである。

　第2に，ソ連に対する影響がある。それには2つの側面があるように思われる。1つはモデル効果とでもいうべきもので，対外開放政策に限らないが，ゴルバチョフ政権の誕生以後，ソ連は国内経済体制の改革を慎重に検討し始めた。1986年初めの段階では，ソ連の体制改革は中国ほどには広く，深く構想されてはいないが，ソ連が中国の実験に強い関心を抱いていることは確かである。もう1つは中ソ間の経済交流の拡大である。ソ連がアジア重視を打ち出すとともに，シベリアと東北3省を中心とする両国間の国境貿易の増加が見込まれており，他方，シベリア開発に必要

な労働力をソ連は中国から入れようとしているが，ソ連において，日本の資金・技術と中国の労働力が協力し合う日が，近い将来やってくるかもしれない。

　第3に，東南アジア諸国に対する貿易競争相手国としての中国の潜在的「脅威」がある。中国の貿易額は世界貿易全体のなかではたいしたものではないにしても，東南アジアの個々の国にとっては，きわめて大きなものに映る。1983年の中国の輸出総額は，タイ，フィリピンのそれぞれ3.5倍，4.4倍にものぼり，労働集約的工業製品に関していえば，中国とこれら東南アジア諸国とは十分競争的である。現在までのところ，両地域は世界市場において駆逐し合うといった激しい競争を展開しているわけではないが，東南アジアの国々にとって，中国が対外開放を進めれば進めるほどその脅威感が高まってくることは当然予想できる。

　第4に，それ以上に重要なことであろうが，今後，台湾や韓国との経済的相互依存関係がますます深まると予想されることである。中国にとって，発展のダイナミズムを持つこれら地域との交流を深めることは，政治的にはもとより，経済的にも大きな意味をもっている。またこれらの地域にとって，開かれ始めた中国市場は，原料購入と製品販売のための市場として，その役割は大きくなることはあっても小さくなることはありえない。中・韓，中・台間には依然として国際政治の壁が存在するが，中国の対外開放が進み，お互いの交流が促進されていくなら，こうした壁が次第に突き崩され，極東地域の緊張緩和に貢献することも十分可能である。中国の内外にわたり，10年前には想像もできなかっ

たことが，次々と現実化してくる時代なのである。

　最後に，よりいっそう漠然とした可能性の問題として，いわゆる環太平洋圏に対する中国の参加ということがあげられる。この構想自体，中国のみならず日本においても今のところ単なる文明論の域を出ていないが，中国もこれに大いなる関心を寄せ始めてきたことだけは確かである。1984 年に上海において中国人学者による「太平洋地域の発展の将来と中国の現代化」と題するシンポジウムが開かれたが，そこにおいて，将来，アジア太平洋各国がゆるやかな経済協力組織を作る可能性が指摘された。より具体的に，中国がその中でいかなる形で参加するのか，また日本，アメリカ，ソ連といった経済大国が，厳しい国際環境の中で，いかに中国と，また各国相互に協力しあえるものか，この構想の現実化に当たって問題はつきないが，こうした構想が出てきたこと自体，中国の対外開放政策が内在的にもつ幅の広さと奥行きの深さを雄弁に物語っているといえよう。

　いずれにせよ，中国が自らの門戸を開き，国際経済の舞台に進出してきたことは，中国の経済のみならず，政治的可能性を大きく広げることになったことだけは否定できない。そうした可能性は同時に，いろいろな意味で大きな危険を中国にもたらすものであろう。しかし 4 つの現代化実現のためには，そうした危険を中国が敢然として背負っていく以外に道がない。

〔参考文献〕
菱田雅晴「対外開放の展開過程」(浜勝彦編『経済開放下のアジア

　社会主義諸国』アジア経済研究所，1985 年)

岡部達味ほか編『中国社会主義の再検討』日本国際問題研究所, 1986
　年

毛里和子「アジア太平洋に向かう中国の眼」(『国際問題』1986 年 2
　月)

グローバリズムと
リージョナリズム

　「自分たちの運命は自分たちが決める」という理念に基づいたきわめてエネルギッシュな政治組織（国民国家）が今日の世界を覆っている。しかし実は，自分たちの運命が別の国民によって決められている，そして自分たちの決めたことによって彼らの運命が左右されているという事実に気づかされることが多い。そのような相互依存性の認識の上に立って，自分たちと彼らとが，新しい「われわれ」として，共に直面する問題を解決していかなくてはならないという見方も勢いを増しつつある。この「われわれ」の範囲の大小によって，グローバリズム，リージョナリズムという国際関係が出てくるのである。

1　歴史の教訓としての国際秩序構想

戦間期の国際政治経済

　ヨーロッパを中心に兵員だけでも 900 万人近くの死者をだした

第一次世界大戦（1914〜19）は，戦争という利害対立の「文明」的な調整手段が，人類の入手した殺傷能力の大きさの前には機能不全を起こしてしまうことを明らかにした。この驚きで高揚した平和志向的理想主義に支えられて，国家間の紛争を平和裡に解決することをめざす国際連盟が樹立され（1920），列強の海軍軍備が制限され（1922，1930），戦争を不法なものとする不戦条約が結ばれた（1928）。

　しかしながら，アメリカに端を発した大恐慌（1929）は世界経済に打撃を与え，貿易が急速に縮小均衡に向かった。長年自由貿易を維持してきたイギリスもついにその政策を放棄し（1932），結成されたばかりの英連邦諸国と植民地を包含する排他的な通商・通貨ブロックを形成した。アメリカやフランスなども相前後して関税を引き上げたり閉鎖的なブロック経済圏を形成し，列強は互いに近隣窮乏化政策をとるにいたった。

　1930年代は，こうして関税引上げ，新関税設定，数量制限などをめぐる経済摩擦の激化で始まった。それと同時に，急激な国内社会の変化に見舞われた国々の中から，ドイツ，イタリア，日本が対外的に膨張主義的政策をとる国として登場し，大国間の政治摩擦も高まっていった。国際連盟はこのような大きな利害対立の調整に失敗し，上記の3国は連盟を脱退してしまう。結局，ドイツのポーランド侵略を契機にしてヨーロッパでは再び戦火が広がり（1939），日本もアメリカ，イギリスに戦いを挑む（1941）。文字通り全世界を巻き込んだ第二次世界大戦（1939〜45）は，兵員の死者1700万人，民間人の死者3400万人に上る犠牲をだす結

果となったのである。

　戦後の国際政治経済秩序は，この戦間期の秩序管理の失敗を大きな教訓として，形成されることになる。

集団安全保障

　孤立主義を掲げて国際連盟にも加盟せず，ヨーロッパ戦線にも参加していなかったアメリカは，ドイツと戦っているイギリスとともに，戦後国際秩序の構想を打ち出し（1941），連盟を凌駕するような安全保障制度の構築をうたった。その後，英米を中心に，ソ連と中国（国民党政府）も加えて，連合国の４大国による会議が数次にわたり開かれ，ダンバートン・オークス会談（1944）をへて，サンフランシスコ会議で常設的な世界平和維持機構が「連合国の憲章」により設立され（1945），この常設機構は日本語では「国際連合」と呼ばれるようになった。その中心となる安全保障理事会では，上記４大連合国にフランスを加えた５大国が常任理事国として強力な権限を持つことになった。

　国際連盟が全会一致に基づく集団安全保障を企図して失敗したという認識を受け，国際連合では連合国の５大国の一致協力により世界全体の平和を維持・管理していく集団安全保障が制度化された。しかしながら，連盟の失敗は地域的な問題を全世界で解決しようとして域外国を関与させたことにあるという見方もあり，平和裡に紛争解決する試みは，地域的な取決めにしたがってできることになった。国連の下の集団安全保障体制は，このようにグローバリズムとリージョナリズムの折衷的な制度として形成され

たのである。

　第二次大戦の戦勝国によって管理されるはずであった戦後の国際秩序は，米ソの対立激化（いわゆる冷戦）のため，再び崩壊の危機に瀕した。ヨーロッパを舞台とする東西対決は，アメリカ陣営の北大西洋条約（1949）とソ連陣営のいわゆるワルシャワ条約（1955）とに各々に基づく軍事機構（NATO とワルシャワ条約機構）の対峙を生んだが，両条約の第1条は，きわめて興味深いことにほとんど同じ表現で，国連憲章に従い，国際紛争の平和的解決を試みることをうたっている。つまり，国連の枠内で相互に紛争の平和的解決を図り違反国を制裁するという趣旨の集団安全保障の考え方が，外部の国に対する共同防衛（集団的自衛権の行使）という国連の規制から逃れた実態を取り繕う口実に使われるようになったのである。

　米ソは世界全土にその勢力圏を拡張しようと試み，ヨーロッパ以外にも相互に敵対する防衛条約網を張りめぐらし，ドイツ，ベトナム，中国，朝鮮の4つの分裂国家をつくりだしただけではなく，それらを取り巻く地域の緊張を高めた。このように連合国による戦後世界の秩序管理は失敗した。しかし，核兵器という重大な要素が加わって，対立する米ソは同時に世界軍事秩序の共同管理者とならざるを得なくなる。

国際経済運営

　経済恐慌→排他的通貨・貿易ブロック形成と経済摩擦→世界大戦という 1930 年代の歴史は，政府の介入による国内景気管理と

国際経済制度管理とにより世界の繁栄と平和が達成されるはずで
あるという教訓を生んだ。アメリカとイギリスが中心となって戦
後の国際通貨制度と貿易制度を構想し，その中で，自国が戦場と
ならず，生産力でも資本力でも圧倒的大国として台頭したアメリ
カは自他共に認めるリーダーとなった。

戦争中に開かれた連合国通貨金融会議（ブレトンウッズ会議，
1944）の合意に基づき，戦後，為替取引を安定させるとともに国
際収支不均衡に対処するための国際通貨基金（IMF）と，当面の
戦災復旧を加速するための国際復興開発銀行（IBRD，世界銀行）
が結成された（1945）。このいわゆるブレトンウッズ体制は貿易
の活性化を通貨・金融面から支持する目的を持っていたが，経済
復興をめざすヨーロッパ諸国が抱えた経済問題の解決には，制度
の資金規模があまりにも小さいことが明らかとなった。

制度運営面で圧倒的な力を持つアメリカは，この制度にたよる
ことをあきらめ，単独で必要な措置——たとえばヨーロッパ復興
計画（マーシャル・プラン）——を次々にとっていった。金価格
を固定したドルに対する強い需要を背景に，アメリカは自国の巨
額の黒字分を赤字を出しているヨーロッパ諸国や日本に経済援助
や軍事援助の形で還流し，ソ連と対抗する西側陣営の経済力と軍
事力の増強を図ったのである。

貿易に関する国際秩序も，通貨・金融問題と同じ頃から協議
が始まったが，主要国の利害が対立し，ようやく国際貿易機構
(ITO)を設立するハバナ憲章が採択された(1948)。しかしアメリ
カでも，国内的な対立の結果，政府が批准をあきらめた（1950）

ため，ついに実現しなかった。そのため，暫定措置としてつくられていた「関税と貿易に関する一般協定」（GATT，1947）が戦後の貿易秩序に実体を与えることになったのである。

こうして戦後の国際経済秩序（GATT-IMF体制）が成立したが，折からの冷戦の激化のため，共産圏は排除されることとなった。さらに，アメリカの提唱により対共産圏輸出統制調整委員会（COCOM）が設置され（1949），戦略物資などが西側諸国から共産圏へ輸出されないよう各国政府が東側向け貿易を監視することとなり，今日に至っている。

西側軍事同盟の盟主でありかつ国際経済秩序の管理国であるアメリカは，ケネディ・ラウンド（1964〜67）にいたる6次の関税引下げ交渉で主導的な役割を果たし，世界貿易の拡大に成功した。また，経済復興中のヨーロッパ諸国や日本に対しては保護主義的政策を容認して，これらの国々の経済成長を促した。しかし，ITO構想には含まれていた新興国・後発国の経済開発や商品協定に関しては，GATTは何ら有効な取決めとはならず，後年，国際経済秩序はGATTの枠組みの外で世界全体の問題となる。

2　核・南北・地球

米ソ軍事秩序

広島と長崎で実戦的な威力が十分すぎるほど確認された核兵器は，戦後10年を経ずして，人類を何回となく全滅させることのできる分量が製造された。そのストックの大部分を抱え込んだア

メリカとソ連は，文字通り地球全体の生命に対する大きな責任も抱え込むことになった。両超大国は，世界戦略では互いに厳しく対立し，政府の意図では相互不信に苛まれながら，他方では両国間の紛争を平和裡に解決し，核兵器を両国の間の戦争の抑止のために蓄えるという点で利害関心が一致するようになった。

　戦後最大の危機と言われるキューバ危機（1962）を経て，米ソは両国間の直通交信手段（ホットライン）の設置（1963），イギリスを含む3国の部分的核実験禁止条約（1963）など，米ソ間の相互抑止と核戦争回避にむけての制度化が始まった。その後，1960年代半ばから70年代半ばにかけてのいわゆるデタントの時期に，ホットライン近代化協定（1971），偶発核戦争防止協定（1971），核戦争禁止協定（1973）など，核戦争を回避する「意図」が確認されていった。また，相互抑止の基礎となる「能力」の面でも，戦略兵器制限交渉（SALT）の成果として，いくつか条約が結ばれている。しかし，条約遵守の相互確認，新しい「能力」の開発競争，国内政治圧力などの問題が存在しているため，米ソの協調は不安定で，常に新しい争点で交渉が続く状態にある。

　米ソ協調の下で，国際社会全体における核兵器の管理の制度化も進んだ。南極，宇宙空間，海底における核兵器配備禁止が決められ（1959〜71），核兵器拡散防止条約（NPT）が結ばれた（1968）。しかし，このような米ソ中心の世界軍事秩序管理に対して，フランスや中国は公然と反対し，NPTなど核に関する重要な条約のいくつかに加わっていない。また，潜在的核兵器保有国と称される一部の国々もNPTのもたらす核秩序に服することを

拒否している。反対に，何カ国かが連帯して，自ら核兵器を持たず保有国にも持ち込ませないという非核地域の構想を打ち出す動きもある。

冷戦が激化する中で，国連でも5大国を中心に軍縮委員会 (UNDC) が設置された (1952) がほとんど機能せず，東西両陣営から5カ国ずつが代表となる軍縮委員会が設置され（ジュネーヴ軍縮委員会，1960），その後，第三世界の代表も加わり次第にメンバーを増していった。軍縮問題を扱った初めての国連特別総会 (1978) の決定に従い，UNDC は全国連加盟国をメンバーとして復活し，ジュネーヴ軍縮委員会は40カ国をメンバーとする軍縮会議 (CD) となった。しかしながら，国連の内外での国際世論の重要性を認めるにしても，米ソの微妙なバランスの下での協調が，実りある成果を生み出す必要条件であることを忘れてはならない。

また，核兵器に依存する相互抑止で米ソ戦争が回避されてきたとしても，この両超大国が介入する紛争（たとえばベトナム戦争やアフガニスタン内戦）や，地域紛争（たとえばイラン・イラク戦争）は依然として地球上で多くの人命を浪費している。国連は地域紛争や内乱の解決を図ることよりはむしろ武力衝突の回避を図ることで，一定の平和維持機能を果たしてきた。

新国際経済秩序

経済開発の問題を置き去りにした GATT-IMF 体制は，多数のアジア・アフリカ諸国が独立して国際社会に参画するように

なった 1960 年代以降大きな修正を迫られた。

　まずアメリカのイニシアティヴで「国連開発の 10 年」計画が始まり（1961），国際開発協会（IDA，第二世界銀行）も設置された（1960）。先進国の開発援助グループ（DAG，後に経済協力開発機構〈OECD〉の下部機関 DAC となる）も結成され（1960），発展途上国に対する政府開発援助（ODA）の協議の場として今日に至っている。また，国連で多数派を占めるようになった第三世界の 77 カ国のイニシアティヴで国連貿易開発会議(UNCTAD)が開かれ（1964），以降 4 年毎に開かれている。「南」の主張を受けて，国連を舞台にして，「第 2 次国連開発の 10 年」決議（1970），「天然資源恒久主権」宣言（1962，1966，1973），「新国際経済秩序（NIEO）」樹立宣言（1974）など，国際社会における新しい経済秩序の理念が次々と提出された。120 カ国を超えるまでになった第三世界諸国は，国際経済秩序の政治勢力としては現在でも 77 カ国グループ（G 77）と呼ばれ，先進諸国に対してさまざまな要求をつきつけている。

　しかし，1960 年代から 70 年代にかけて南北の経済格差は拡大するとともに，石油危機で最も被害を受けた途上国（MSAC）や新興工業経済地域（NIES）など「南」の国々の状況もいろいろ分かれ，債務累積など新しい問題も登場し，問題は一向に解決していない。南北の協調はきわめて難しく，UNCTAD を土台とした一次産品総合計画も有効に機能していない。従来からの国際経済制度の中で，たとえば IMF は債務累積国への緊急融資など，世界経済の混乱を防止しようと試みている。また，GATT は第

7次関税引下げ（東京ラウンド，1973〜79）の後，新ラウンドをめざして南北間の利害調整を図っているが，貿易問題の多角的協調だけでは世界経済の問題を解決できないのは明らかである。

　南北を包み込んだ世界経済は以前から国際社会をきわめて緊密な相互依存社会にしていた。1970年代の2度にわたる石油危機，80年代の先進国の不況などの国際社会への大きな影響が，その平凡な事実をわれわれに改めて知らせてくれたのである。しかし，今日の世界経済全体を管理することを意図した国際経済秩序は，その必要性は強く認識されながらも，いまだに樹立されていない。また，中国やソ連圏をどのように取り込んで文字通りの世界経済秩序を形成するかに関しても，関係国の意見は大きく割れている。

グローバル・コミュニティ

　西欧のエリートによって定義され，植民地支配を思想的に支えてきた「文明」の精神的優位は，1930年代から第二次大戦終了までヨーロッパ全土に蔓延したジェノサイド（民族の大量虐殺）の行為によって内面から破壊されていた。それにもかかわらず，戦後もその技術的優位は近代化の名の下に「文明」の世界化を推進し，「文明」に導かれた進歩（世界の経済成長と福祉拡大）が永久に続くものであると信じさせる力を残していた。

　このような地球の未来イメージを大きく修正するのに一役買ったのが，ローマ・クラブの報告『成長の限界』（1972）であった。人口の増加と経済活動の増加がこのまま続くと地球の有限な資源は涸渇し，環境は破壊されてしまうというコンピュータ・シミュ

レーションは，折しも起こった小麦の不作と価格高騰（1972），石油の生産制限と価格高騰（1973）とによってもっともらしく受け取られ，「宇宙船地球号」「かけがえのない地球」といったイメージが1970年代に急速に国際社会に浸透していったのである。

この地球の有限性が問題となるようになったのは技術の急速な進歩によるものであったが，その有限性をわれわれに強く認識させてくれたのもまた進歩した技術であった。宇宙からの「青い球体」のテレビ中継はわれわれの地球認識に大きな影響を与えたし，初めて耳にする遠い外国の地の天災のリアルタイム報道はわれわれの共感範囲を地球規模にした。こうして「われわれの地球」意識が生まれつつある。コミュニケーション手段の発達に伴って，コミュニティの拡大が可能になったのである。

国連は，本来の平和維持機能ではきわめて不十分な成果しかおさめてこなかったが，地球全体に関わり合う問題を討議し解決策を探るための場としては，これに替わり得る国際機構が国際社会にないことも明らかであった。国際経済秩序をめぐる南北対立に地球全体の問題が加わって，1970年代前半の国連はきわめて活動的であった。資源・開発問題と開発・国際協力とを討議する国連特別総会が2年続けて開かれた（1974，75）ほか，国連の主催で，国連人間環境会議（1972），世界食糧会議（1974），世界人口会議（1974）が開かれ，国連環境計画（UNEP）をはじめとして食糧安全保障のための諸制度や世界人口行動計画などが実行されることになった。その後，1970年代後半から80年代初めにかけて地球を襲った異常気象や飢饉に対応するため，国連の内外でさ

まざまな対応策がとられている。

しかしながら，言うまでもなく，「地球のわれわれ」という意識に基づいて国際秩序を形成しようとする動きはまだまだ微弱である。人道的な援助の手を差し伸べるとき以外に，グローバル・コミュニティということばが聞かれることはまれである。

3　相互依存と地域経済統合

サ ミ ッ ト

世界 170 カ国，50 億人の中で，20 弱の先進諸国の 7 億に満たない国民が，活発な生産活動，高所得による大量消費，多国籍企業経営，海外投資活動などを通じて，貿易のみならず短期・長期の資本取引でも国際経済の相互依存を高める原動力になっている。特に，アメリカ・西ヨーロッパ主要国・日本（日米欧三極）が国際経済に大きな影響を与える構造になっている。

かつて国際経済活動で占める位置と国際経済秩序管理とできわめて大きな役割を担ってきたアメリカは，ベトナム戦争遂行の影響もあって経済的に弱体化し，遂に，金・ドル交換の一時停止や，10％輸入課徴金の一時措置などを内容とする新しい経済政策をとり（ニクソン・ショック，1971），一方的に秩序管理者の立場を放棄した。自由貿易体制は全体としては維持されたものの，通貨体制は変動相場制となり（1973），戦後国際経済秩序は大きく変わった。そこへ石油危機が勃発し，先進諸国は経済的な苦境に立たされたのである。

このような問題に対応するため，アメリカ，日本，西ドイツ，フランス，イギリス，イタリア——国民総生産（GNP）上位6カ国（ソ連を除く）——が首脳会談を開いた（1975）。その後，この会談にはカナダ（GNP第7位）とEC代表が参加するようになり，毎年1回開催される主要先進国首脳会議（サミット）として制度化された。開催の経緯から明らかなように，当初は共通に直面する世界経済問題について協議する場であったが，回を重ねるにつれて，一方では政治的な問題も重要な議題に含まれるようになり，他方では相互の経済的争点を調整して参加国を拘束するような強い決定もされるようになった。

　国際経済の相互依存は，世界各国の国内経済状況を緊密に関連させただけではなく，失業や産業保護などの国内政治問題に端を発する摩擦を各所で引き起こすことにもなった。自由化された資本取引はますます活発になる中で，貿易の重要品目は2国間の管理貿易制度下に置かれるようになり，1980年代は自由・無差別・多角という戦後貿易秩序が実質的に大きな修正を受けている。

　このような状況下で，サミットのほかに，G7（ECを除くサミット諸国），G5（GNP上位5カ国），四極（日・米・EC・カナダ）などの単位で，争点により，政府代表や担当閣僚レベルのさまざまな協議体が重層的に制度化されている。主要先進国は経済問題で鋭く対立しながらも（するからこそ），単に対外経済政策の協調だけではなく，各国の国内マクロ経済政策や産業構造転換政策にまで協議の範囲を広げてきた。今日の相互依存は，国際社会の重要な伝統のひとつであった内政不干渉の原則を時代遅れの

ものにしたと言えよう。

E C

先進地域の相互依存の1つの極を構成し，それ自体がきわめて緊密な相互依存地域となっているヨーロッパ共同体（EC）は積極的に地域の統合をめざしてきた。このECにリージョナリズムの典型を見出す人は多い。しかし今日の地域統合を評価するためには，その出発点をよく理解する必要がある。

ヨーロッパ全土を荒廃させた第二次大戦はヨーロッパ諸国民に何よりも不戦共同体の必要性を強く認識させた。そこで，フランスとドイツを伝統的に対立させてきた両国国境付近で産出される石炭と鉄を超国家的な権威によって管理することにより戦争の原因を除去しようという合意が生まれ，ドイツ・フランスにイタリア・オランダ・ベルギー・ルクセンブルクが加わってヨーロッパ石炭鉄鋼共同体（ECSC）を設立した（1952）。さらに超国家的組織の形成によって不戦を一層確かなものにするため，防衛共同体や政治共同体の構想も生まれたが，結局陽の目をみなかった。一挙に統合を進める計画にとってかわったのが，経済分野から始めて究極的に政治的統合に近づけるという漸進的計画であり，ECSC構成国は経済共同体（EEC）と原子力共同体（Euratom）を結成したのである（1958）。

EECの二大目的の1つである農業共同市場形成に関しては利害が対立する争点が数多く進展は遅かったが，もう1つの工業製品に関する自由貿易化と関税同盟の形成は予定以上に順調に進め

られた。この成功を受け，3共同体の執行機関は統一されてヨーロッパ共同体（EC）の総称が用いられるようになり（1967），さらに首脳会議（1969）で共同体の拡大・強化が決められた。その結果，対外共通通商政策の開始（1970），ヨーロッパ通貨制度（EMS）の発足（1979），ヨーロッパ議会直接選挙の実施（1979）など，地域統合と超国家性が強まってきた。加盟国も，イギリス，アイルランド，デンマーク（以上1973），ギリシア（1981），スペイン，ポルトガル（以上1986）と増加して，当初の2倍となり，西ヨーロッパを文字通り覆うようになった。

　そのためECは，一方では最も進んだ地域統合の実例となりながら，もう一方では域内の利害関係や格差も複雑になっている。また，EEC加盟国とそれらの旧植民地との特別な関係は，機構の拡大（特にイギリスの加盟）とともに変わり，現在は3次にわたるロメ協定によってEC対アフリカ・カリブ・太平洋（ACP）諸国という対話制度になっている。

　このような地域統合は域外に対する差別を必然的に生み出し，1930年代のブロック経済のよみがえりとなる危険性をはらんでいる。それを防止するため，GATTは関税同盟・自由貿易地域形成に一定の条件を課しており，ベネルックス3国やEECもその例外ではない。ヨーロッパには他にヨーロッパ自由貿易連合（EFTA）があって，その加盟国はEECとの自由貿易も認め合い，実質的に西・北ヨーロッパは1つの自由貿易地域を構成している。東ヨーロッパ諸国はソ連を中心とする経済相互援助会議（コメコン）に加盟し，経済の面でもヨーロッパは東西に二分されている。

10-1表　世界の主要な地域経済統合機構（1986年現在）

名称（略号）	設立年	加盟国（含準加盟国）
〔ア　ジ　ア〕		
東南アジア諸国連合（ASEAN）	1967	ブルネイ，インドネシア，マレーシア，フィリピン，シンガポール，タイ
南アジア地域協力機構（SAARC）	1983	バングラデシュ，ブータン，インド，モルジブ，ネパール，パキスタン，スリランカ
〔中　　　東〕		
湾岸協力会議（GCC）	1981	バーレーン，クウェート，オマーン，カタール，サウジアラビア，アラブ首長国連邦
アラブ共同市場（ACM）	1964	エジプト，イラク，ヨルダン，モーリタニア，シリア，南イエメン
〔ア　フ　リ　カ〕		
マグレブ常設諮問委員会（CPCM）	1964	アルジェリア，モーリタニア，モロッコ，チュニジア
西アフリカ経済共同体（CEAO）	1974 (1959)	ブルキナファソ，コートジボアール，マリ，モーリタニア，ニジェール，セネガル
西アフリカ諸国経済共同体（ECOWAS）	1975	CEAO諸国，ベナン，カーボベルデ，ガンビア，ガーナ，ギニア，ギニアビサウ，リベリア，ナイジェリア，シェラレオネ，トーゴ
中部アフリカ関税経済同盟（UDEAC）	1966 (1961)	カメルーン，中央アフリカ，コンゴ，赤道ギニア，ガボン
大湖諸国経済共同体（CEPGL）	1976	ブルンジ，ルワンダ，ザイール
中部アフリカ諸国経済共同体（CEEAC）	1983	UDEAC諸国，CEPGL諸国，チャド，サントメプリンシペ
南部アフリカ関税同盟（SACU）	1969 (1910)	ボツアナ，レソト，スワジランド，南アフリカ
南部アフリカ開発調整会議（SADCC）	1980	SACU諸国（除南アフリカ），アンゴラ，マラウィ，モザンビーク，タンザニア，ザンビア，ジンバブエ
東部・南部アフリカ特恵貿易地帯（ESAPTA）	1981	CEPGL諸国（除ザイール），SADCC諸国（除アンゴラ，ボツアナ，モザンビーク，タンザニア），コモロ，ジブチ，エチオピア，ケニア，モーリシャス，ソマリア，ウガンダ

〔中 南 米〕		
中央アメリカ共同市場 (CACM)	1961	コスタリカ, エルサルバドル, グアテマラ, ホンジュラス, ニカラグア
アンデス共同体 (ANCOM)	1969	ボリビア, コロンビア, エクアドル, ペルー, ベネズエラ
ラテンアメリカ統合連合 (ALADI)	1981 (1961)	ANCOM諸国, アルゼンチン, ブラジル, チリ, メキシコ, パラグアイ, ウルグアイ
東カリブ諸国機構 (OECS)	1981 (1968)	アンチグアバーブーダ, ドミニカ国, グレナダ, モンテセラト (英領), セントクリストファーネイビス, セントルシア, セントビンセントグラネディン
カリブ共同体 (CARICOM)	1974 (1968)	OECS諸国, アンギラ (英領), バルバドス, ベリーズ, ガイアナ, ジャマイカ, トリニダードトバコ, (バハマ)
〔オセアニア〕		
南太平洋フォーラム (SPF)	1971	オーストラリア, クック諸島 (NZ領), フィジー, キリバス, ナウル, ニュージーランド (NZ), ニウエ (NZ領), パプアニューギニア, 西サモア, ソロモン諸島, トンガ, ツバル, バヌアツ
〔ヨーロッパ〕		
ベネルックス経済同盟 (ベネルックス)	1960 (1944)	ベルギー, ルクセンブルク, オランダ
ヨーロッパ共同体 (EC)	1967 (1957)	ベネルックス諸国, デンマーク, フランス, 西ドイツ, ギリシア, アイルランド, イタリア, ポルトガル, スペイン, イギリス
ヨーロッパ自由貿易連合 (EFTA)	1960	オーストリア, フィンランド, アイスランド, ノルウェー, スウェーデン, スイス
相互経済援助会議 (コメコン)	1949	ブルガリア, チェコスロバキア, キューバ, 東ドイツ, ハンガリー, モンゴル, ポーランド, ルーマニア, ソ連, ベトナム

(出所) 主として *The Yearbook of International Organizations 1985/86* (22nd ed.) による。経済統合を目的の一部に掲げている機構は，他の機能を含んでいても，ここに載せた。通貨同盟は除外した。

(注) 設立年の欄に，かっこ囲みの数字が挿入されている場合には，その年に当該機構の前身（名称の異同にかかわらず）が設立されていることを意味している。CARICOMのバハマは共同市場に非加盟。

この他に北ヨーロッパ5カ国からなる統合機構（北欧協議会）もある。このように，近隣諸国がひとつの地域として共通の問題を解決しようとする志向性は，決してECのみの例外ではない。

開発のための地域統合

排他的でない地域経済協力・統合は国連も認めており，ESCAPなどの5つの地域経済委員会が地域の特殊性を反映させたさまざまなプログラムを進めている。それらの支援を受けて，あるいは全く独自に，地域的な経済協力を始めた国々はきわめて多い。貿易自由化以上の狭義の経済統合計画に限定しても，地域統合機構は全世界で20余りに上り，130カ国以上が参画している。日本，中国，アメリカ，カナダなど経済統合機構に加盟していない国はむしろ例外であり，地域統合の事例の多くは互いに相互依存の小さい発展途上国同士の間に見られるようになった。さらに，統合以外の経済・機能協力のための機構も数多く設立され，地域レベルの国際機構が幾重にも重なり合って世界各地で活動している。

長い相互依存の歴史を持ち，統合をめざす思想を生み続けてきたヨーロッパとは大きく異なり，「南」の諸地域には統合を必然的なものとして人々に受け入れさせる基盤がなかった。しかし，ヨーロッパを中心とする経済発展から大きく取り残されただけではなく植民地支配の下に置かれてきた「南」の国々は，政治・経済的従属から脱するために経済開発を国家目標に掲げ，その手段として地域経済統合を選択したのである。

1960年代初めという時期は，EECがめざましい成功をおさめ

始めて地域統合のモデルとなるとともに，アフリカ諸国が大量に独立を達成したこともあって，「南」にいくつもの地域統合機構が作られた。比較的工業化の進んでいたラテンアメリカ諸国でその種の機構が結成されるとともに，アフリカでも植民地時代の経済・行政制度を継承した機構が生まれていった。しかしながら，産業の競合性や水準の低さ，政治的不安定，地域紛争などの理由により，多くの地域統合計画は当初の目的を達成できず挫折したのである。

　一方では失敗の事例が増えていき，他方では南北対話が生まれ，「南」の地域統合の効果は疑われたが，経済統合をめざす「南」の諸地域の動きは決して下火にはならなかった。これまで地域統合計画の真空地帯であったアジアでも1970年代後半から地域統合をめざす事例がでてきたし，アフリカでは旧植民地時代の遺産を克服する試みも登場するようになった。このように次々と結成される新しい機構が，過去に散見されたように域内対立から分解してしまうか，それを乗り越えて大きな利害で一致を見出すか，長期的な観点に立って注目したい。

4　日本をめぐる 2 つの「イズム」

戦後国際秩序への参加

　以上みてきたように，第二次世界大戦から大きな教訓を引き出し，その後の情勢の変化に対応してきた国際社会は，グローバリズムとリージョナリズムの拮抗と補完の歴史をつくってきた。敗

戦国日本にとっての最大の課題は，連合国がつくったグローバル
な戦後国際政治経済秩序に再び参加することであり，国内社会を
復興し国民の生活水準を向上させるために国際経済活動を活発化
することであった。

　アメリカ主導の占領時代に激化していった米ソ対立の影響を強
く受け，日本はアメリカの軍事的安全保障の傘下に入ることで再
び独立国家の道を歩き始めた（1951）。同盟国となった日本は，
アメリカ軍の世界戦略を基地の提供という形で支援し，国土の防
衛をアメリカに委ねる日米安保体制を基本的な大前提として国際
社会に復帰したのである。しかしそのため，米ソ対決に巻き込ま
れ，日本はソ連と国交回復する（1956）まで国際連合に加盟でき
なかった。

　また，その他の旧連合国（特にイギリス）も日本に対する警戒
が強く，一日も早く自由・無差別の GATT 貿易体制に加わろう
としていた日本の加盟申請に反対し続けた。アメリカとの同盟だ
けでは，西側陣営中心の国際経済秩序への参入問題さえ容易に解
決されなかったのである。GATT 加盟（1955）以後も，対日差
別が撤廃されるまでに約 10 年の歳月が必要であった。このよう
に，必ずしも日本に好意的ではない国際環境に置かれながら，急
速な経済成長を続け，1960 年代半ばには日本は先進国の一員と
して認められるようになり，60 年代末には米ソに次ぐ経済規模
の国にまでなったのである。

　こうして，国際平和の破壊者という過去をひきずりながらも戦
後国際秩序の一員としての地位を確立していった日本は，西側陣

営の中で政治的には目立った行動をとらず，もっぱら経済活動に
専念し，貿易の3割前後をアメリカ一国に依存しながら，共産圏
を含む全世界を交易相手にしていった。

アジア・太平洋の枠組み

　日本が基本的にはグローバリズムの枠組みに沿って戦後国際社
会に参加し，そこから多大の恩恵を受けたことは明白である。し
かしそれと同時に，1930年代から敗戦までの侵略，それに対す
る賠償，開発援助といった国家行為を通じて日本が密接に関与し
てきた地域がアジア・太平洋であることも，これまた明白である。
そして，日本が経済大国化する過程で，貿易や直接投資といった
民間の国際経済活動が貿易摩擦を含むさまざまな形態の摩擦や問
題を最も多く生んだのも，この地域であった。

　このアジア・太平洋の戦後は独立と改革運動と冷戦との複雑な
絡み合いで始まった。アメリカは中国における共産政権の成立や
朝鮮戦争を受けて，太平洋安全保障条約（ANZUS）をオースト
ラリア，ニュージーランドと結び（1951），東南アジア条約機構
（SEATO）を結成して（1954）タイ，フィリピンを防衛するほか，
2国間条約を日本，韓国，台湾と締結して（1951〜53），太平洋
の安全保障体制をつくり上げた。また，イギリスはSEATOに
加盟するとともに，自国植民地から独立したマレーシア，シンガ
ポールに駐留して防衛の任にあたり，撤兵に際してオーストラリ
ア，ニュージーランドを加えた5カ国取決めを結んだ(1971)。

　これら西側陣営に属するアジア・太平洋の国々はアジア太平洋

協議会（ASPAC）を結成し（1966），反共国家の経済協力をすすめようとした。援助を受ける側から与える側になった日本は東南アジア開発閣僚会議を主催し（1966），それは以後，日本の対東南アジア援助の重要な窓口として毎年開かれるようになった。

　他方，ソ連はモンゴル，中国，北朝鮮と同盟条約を結び（1946〜61），中国も北朝鮮と同様の条約を結んで（1961），アジアの共産諸国は西側陣営と対峙したのである。このような東西軍事対立のすきまには，インドネシアやビルマ，カンボジアのような非同盟諸国が存在していたが，米ソ対決の前には非力であった。

　しかし，中ソ対立，米中接近，ベトナム戦争終了，インドシナの共産化（1975）を経て，アジア・太平洋の国際政治秩序は大きく変化し，1970年代半ばから末にかけてASPAC，東南アジア開発閣僚会議，SEATO，米台同盟，中ソ同盟が次々に消滅し，東西対立の構造は崩れてしまった。しかしながら，この地域が安定した平和を享受できるようになったわけではなかった。カンボジアをめぐるインドシナの戦乱（1978〜現在）により東南アジアでは緊張が持続し，国内・近隣諸国・中ソの利害が複雑に対立している。アジア・太平洋は米・ソ・中・日の周辺大国の利害が錯綜する場となり，相変らず不安定な流動状態から脱していない。

リージョナリズムの進展

　大国が左右する国際環境の中で，アジア・太平洋の小国は受動的な存在であった，と考えてはならない。マレーシアの成立をめぐる地域紛争（1963〜66）の教訓から域内平和を確立しようと結

成された（1967）東南アジア諸国連合（ASEAN）は，一方では東南アジア平和自由中立地帯宣言（1971）を出しながら，インドシナ問題などでは政治的な連帯を確認している政治的機能を持った機構であり，他方，日米など域外先進国に対して経済問題で団結し，特恵貿易取決協定（1977）などを基礎に域内の経済統合をめざしている機構でもある。まとまるはずがないとの設立当初の悲観的予想を裏切って，ASEAN諸国は域内の利害対立を徐々に克服し，今日ではASEANは第三世界で最も活発な地域機構の1つと評価されている。日本も1970年代後半からASEANに対して積極的に取り組むようになったが，後者からの市場開放などのさまざまな要求に対しては，グローバリズムの長所を主張しつつ消極的に対応している。

　また，太平洋には旧宗主国と旧植民地を含む南太平洋委員会（SPC）と，域内英連邦諸国を中心とする南太平洋フォーラム（SPF）とがあり，前者には日本も加盟している。どちらも経済分野で国際協力を進めており，特にSPFは1960年代の半ばからの機能的協力の実績を踏まえて，70年代以降緊密で広範な活動をおこなっている。また，この機構は南太平洋非核地帯条約を結んだ（1985）ことでも注目されている。この地域の非核化の希望は強く，最近のニュージーランドの動きはANZUSの体制を揺るがしている。

　しかし最近，何よりも注目されているのは，日本とアメリカの緊密な経済関係を中核とし，東アジアNIESやASEAN諸国，オーストラリア，ニュージーランド，カナダなど先進・発展途上

の国々をともに含むアジア・太平洋の経済相互依存である。これらの国々の間の相互依存の将来をめぐっては，今後，アジア・太平洋全体の地域統合に向けて制度化を進めていくのか，グローバリズムの中での趨勢に任せるのか，あるいは現在体現している複数のリージョナリズムを活用して発展させるのか，など，いくつかの可能性が開けている。しかし，関係諸国の利害調整が複雑で，一時は積極的であった日本政府も慎重に行動している。さらに，中国やソ連がアジア・太平洋の経済相互依存の枠組みに今後どのように関与してくるのか，そしてどのような影響をおよぼすのか，大きな問題となりつつある。

5　世界の中の日本──結論にかえて──

今日，経済規模において世界の「1割国家」と言われるようになった日本は，GNPで測ると，ソ連を追い越し，4，5位の西ドイツとフランスの合計に匹敵するまでになった。資源を持たない脆弱性を抱えながら，戦後の国際政治経済秩序にきわめて巧みに適応してきた結果，政府，個々の企業，国民1人1人の意識の有無とは無関係に，日本という1つのまとまりが世界に大きな影響を及ぼすようになったのである。いまや，われわれ日本人が日本の経済活動が持っている現実の影響力を自覚せず，単に所与の国際秩序に適応していこうとする行動をとれば，秩序の攪乱要因となるところまで日本の経済活動の規模は大きくなっていると言えよう。

最近ようやく，日本人も自分たちが持っている影響力の大きさ
に気づいた上で，政府の政策や民間の経済活動を調整しようとし
始めた。すなわち，アメリカや西ヨーロッパと共同で，グローバ
ルな規模での国際経済秩序の管理に積極的に関与しようとしてい
る。サミットをはじめとする先進国の協議体の中で，日本の行動
に対する要求が多いと同時に，日本の発言力は従来になく増して
いる。グローバリズムを享受してきた日本が，今それに貢献する
ことを期待されている。

　一方ではグローバリズムを追求せざるを得ない日本は，また，
アジア・太平洋の経済相互依存を基盤としたリージョナリズムに
貢献することも求められている。グローバリズムと矛盾させず，
しかも域内諸国の多様な利害関心を積極的に調整していくという，
困難ではあるが発展性のある課題に直面しているのである。

　日本が直面している課題はそれだけではない。日本のこのよう
な経済規模の大きさと国際経済秩序共同管理への参画が国際政治
秩序へどのような影響をおよぼすのか，日本自身が政治面で秩序
への適応から秩序への働きかけを，いつ，どのような形で始める
のか，アメリカ，ソ連，中国をはじめ，アジア・太平洋の国々が
見守っているのである。

　しかしながら，グローバリズムもリージョナリズムも，今日の
国際社会では，ナショナリズムに替わり得るシンボルとはなって
いない。日本人のナショナリズムが国民という単位より大きい
「われわれ」の存在を否定するようでは，相互依存を一層深化さ
せる日本人の行動は国際摩擦をさらに激化させるにちがいない。

偏狭なナショナリズムの時代は，今，過ぎ去りつつある。

　この先，われわれ日本人は，日本人というアイデンティティを保ちながら，どのような新しい「われわれ」を創造していこうとするのであろうか。そして，誰が日本人と一緒の「われわれ」意識を持ってくれるであろうか。

　〈付記〉　本章は 1986 年夏に執筆された。それ以後の国際社会の展開は軍備管理や国際経済面で目まぐるしいものがあるが，それらは，読者自身が本章の論旨の妥当性を検討する際の材料とされたい。

〔参考文献〕

明石康『国際連合』（第 2 版）岩波新書，1975 年

浦野起央ほか『国際関係における地域主義』有信堂，1982 年

D. H. メドウズほか（大来佐武郎監訳）『成長の限界』ダイヤモンド社，1972 年

A. ダルトロップ（金丸輝男監訳）『ヨーロッパ共同体の政治』有斐閣，1984 年

筒井若水『国際法 II』青林書院新社，1982 年

通産大臣官房企画室編『世界の中の日本を考える』通商産業調査会，1986 年

B. ラセット（鴨武彦訳）『安全保障のジレンマ』有斐閣，1984 年

環太平洋連帯研究グループ『環太平洋連帯の構想』（大平総理の政策研究会報告書 4）大蔵省印刷局，1980 年

渡辺昭夫編『戦後日本の対外政策』有斐閣，1985 年

ブラント委員会（森治樹監訳）『南と北』日本経済新聞社，1980 年

フランクル（霜山徳爾訳）『夜と霧』みすず書房，1961 年

ギドロン＝シーグル（堺屋太一監修）『世界の国勢地図』（Will 増刊号）中央公論社，1985 年

索　引

国際政治経済論　　　　　　　　　有斐閣Sシリーズ

1988年3月30日　初版第1刷発行
1993年2月20日　初版第4刷発行

編　　者　　渡　辺　昭　夫
　　　　　　緒　田　原　涓　一

発 行 者　　江　草　忠　敬

　　　　　　〔101〕東京都千代田区神田神保町2-17
発 行 所　　株式　有　斐　閣
　　　　　　会社
　　　　　　電話　(03)3264-1314〔編集〕
　　　　　　　　　　 3265-6811〔営業〕
　　　　　　振替口座　東京6-370番
　　　　　　京都支店　〔606〕左京区田中門前町44

印刷　理想社　　製本　明泉堂

国際政治経済論　（オンデマンド版）

2001年5月20日　発行

編　者　　　渡辺　昭夫、織田原　涓一
発行者　　　江草　忠敬
発行所　　　株式会社有斐閣
　　　　　　〒101-0051　東京都千代田区神田神保町2-17
　　　　　　TEL03(3264)1315（編集）　03(3265)6811（営業）
　　　　　　URL http://www.yuhikaku.co.jp/

印刷・製本　　株式会社　デジタル パブリッシング サービス
　　　　　　〒162-0813　東京都新宿区東五軒町6-21
　　　　　　TEL03(5225)6061　FAX03(3266)9639

©1988, 渡辺昭夫, 織田原涓一　　　　　　　　　　AA472

ISBN4-641-90087-6　　　　　　　Printed in Japan
本書の無断複製複写（コピー）は、著作権法上での例外を除き、禁じられています